聯經評論

1949禮讚

楊儒賓 著

序一

納中華入台灣

王德威（中央研究院院士、美國哈佛大學東亞語言及文明系 Edward C. Henderson 講座教授）

楊儒賓教授是台灣思想與文化史界最重要的學者之一，對新儒學的研究尤其受到重視。在甲午戰爭一百二十週年他推出《1949禮讚》，作為回顧台灣歷史、縱觀中華文化的反省。這是一本奇書，選在此刻島上如此躁鬱不安的時機出版，尤其意味深長。

一九四九是個危機四伏的年分。這一年共產黨席捲大陸，成立人民共和國。國民黨退守台灣，延續了民國命脈。兩岸自此對峙，時至今日，仍然無解。一九四九也是充滿創傷的年分。六十萬國軍殘兵敗將退守台灣，近百萬大陸難民倉皇奔逃海外。而島上人民在二二八的劇烈考驗後，短短時間又被拋入另一波戒嚴戡亂的狂潮中。恰與人民共和國的論述相反，一九四九帶給我們的聯想是失敗、離散、恥辱與憂患。

楊儒賓教授理解這些關於一九四九的記憶，卻另闢蹊徑，提出不同看法。他要為一九四九貫注正能量。他認為，一九四九年所帶來的遷徙與暴虐固然血跡斑斑，但從大歷史角度看，台灣因緣際會，卻成為華族文化最近一次「南渡」的終點。永嘉、靖康、南明，無不是分崩離析的時代，但北方氏族庶民大舉南遷，帶來族群交匯，文化重整，終使得南方文明精采紛呈，以致凌駕北方。

台灣在非常時期，承擔了不可能的任務：不但接納了北方的軍民，也吸收了各種知識、文化資源。自由主義的民主思考，儒家的禮樂憧憬，還有殖民地時期的摩登文化在此相互激盪。即使在白色恐怖的年代裡，有識之士不分本土外來，持續他們的理念與堅持，多少年後，才有了今天眾聲喧譁的局面。楊儒賓因此反問，如果沒有了一九四九，沒有了台灣，今天以共產黨統領的「中國」文化，還剩下了什麼？

台灣政治在太陽花運動後有了大翻轉。在反中成為時尚的此刻，本土的愛台的楊儒賓無疑干冒大不韙，寫出統獨兩面都不討好的文字。他至少觸犯了三項禁忌。他「禮讚」一九四九，推崇台灣作為「南渡」文化的終點，儼然將台灣置於大中國歷史的脈絡裡。這令死守台灣「主體性」的忠臣義士們情何以堪？其次，楊儒賓認為中華民國政權縱有千般不是，但為台灣作為政治實體的國家觀念、主權意識、文化傳承帶來基礎，即使以反面教材視之，依然有其貢獻。這樣的論點中共政權必然側目以對，獨派人士

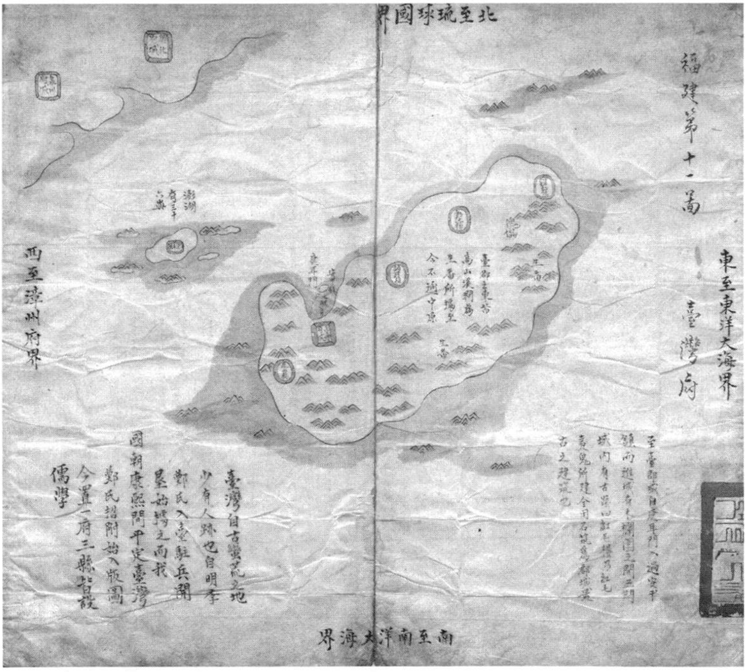

台灣府地圖，此圖標一府三縣，其時台灣隸屬福建省。康熙二十三年（1684），台灣設一府三縣；雍正元年（1723），台灣行政組織改為一府四縣二廳。此圖當是康熙年間所繪。

更要興是可忍、孰不可忍之怒。同樣引起爭議的是，楊儒賓強調儒家所蘊涵的人文願景及「東亞民主」模式，因為一九四九以後的台灣，有了綻放的可能。對此奉行種種時新主義的同僚要斥為保守，而在「孔子學院」氾濫全球的今天，他的立場也似乎左支右絀。

但細讀《1949禮讚》，讀者會發覺楊儒賓的論述遠較上述複雜。我們可以挑戰他的論點，但無從忽視他的用心。越俎代庖，我對上述論點有如下三點理解以及辯難。

楊儒賓談一九四九與「南渡」，批判者可以視為對他大中國文化的效忠，殊不知這些批判者自己才是最效忠「中國」的一群人。他們眼中只看到一以貫之的中國，並且無限放大，因此也無從擺脫愛恨交加的情結。楊儒賓提供的視野，與其說強調「中國」傳統的賡續性，不如說是提醒「中國」傳統的斷裂性。作為國家政治實體，「中國」是現代的發明，歷史不過一百多年；作為一種文明衍生的過程，「中國」的駁雜與裂變千百年來未曾停止。

我認為「南渡」作為事件，本身已經帶來歷史、文化、政治的質變。如果「南渡」是中華文化的一部分，就隱含了中華文化內部衍異、斷裂，寄生，再生，甚或滅絕的可能。楊教授批評者，不論紅藍綠，困於古典的一統史觀，不願也不能耐心看待這一論述的顛覆意義。許倬雲、葛兆光等學者近年一再提出華夏文明內，華與夷、漢與胡的此消彼長，自古已然。五胡亂華、永嘉之亂後，中國北方有四百年由胡人統治，華夷混雜自不待言，而南下漢人對南方種族文明的吸收或融入，不斷產生奇花異果。靖康之難以後，南北人口大遷徙，南方氣象一新，北方燕雲十六州等地則有八百年不屬華夏「正朔」。更不提蒙元和滿清「外來政權」對整個大陸的統治[1]。

當彼岸大一統論述鋪天蓋地而來時，楊儒賓思考大一統的對立面。這一對立面裡有多少朝代、「國家」、種族和文化興衰起滅，懶人包版統獨論哪裡願意正視？在一九四九這樣的時間點，歷史陷落，政權遞嬗，楊儒賓看到中華文明——或他所謂漢華文明——又一次轉型。血腥苦難的代價已經付出，後之來者除了銘記、檢討創傷與不義，也更要化危機為契機。這是楊的願景，也是他解釋，與解構，

1 許倬雲，《華夏論述：一個複雜共同體的文化》（台北：天下文化，2015）；葛兆光，《宅茲中國：重建有關「中國」的歷史論述》（台北：聯經，2011）。

大中國史觀的方法。

與此同時，楊教授一片菩薩心腸，遮蔽了「南渡」的陰暗面：歷史上南朝的命運多半不堪。遠的不說，一六四五年，當清軍已經兵臨南京城下，南明弘光帝小朝廷還在酣暢淋漓的黨爭內鬥。鄭成功獨力開台不過三代，就被自己的子孫送交「清領」。歷史的詭譎恰在這裡，知識分子的願景和政治現實之間的齟齬從來如此。

這就帶到楊儒賓面對中華民國與一九四九的態度。中華民國是現代「中國」的肇始者。如識者所論，這一政權一方面推翻封建皇權，卻也繼承其領土主權與政治合法性；中華人民共和國其實延續這一矛盾。一九四九年國民黨迫遷台灣，風雨飄搖中對政權的保衛不遺餘力。七十年代後，共和國進入國際舞台，民國的正統性愈益受到挑戰，何況島上自決意識的興起。過去二十年來歷經統獨攻防，「台灣」必也正名乎的口號甚囂塵上，「中華民國」已經被幽靈化。

但作為歷史學者，楊儒賓不願附會「想像的共同體」這類理論。對他而言，中華民國在一九四九跨海而來，所帶給島上人民的期許和創痛是實實在在的經驗，但所建構的「國家」意識型態和治理機制也不容一筆勾銷。台灣曾在一八九五年有過曇花一現的台灣民主國，之後即淪為殖民統治的附庸；台灣政治現代化的早期，其實缺乏以「國家」作為訴求的動力。一九四九年中華民國政府遷台，儘管是流亡政權，卻帶來了軍隊、政教體系，還有國家主權論述。這一論述的功過見仁見智，弔詭的是，卻藉由統治機制，形塑或刺激了另一代人對「國家」的憧憬和實踐——哪怕新國家的內容已經有了質變。

楊儒賓其實是以反諷的姿態，看待中華民國對台灣政治衍異（derivative）轉型的貢獻。歷史政權你唱罷來我登場，民主時代尤其如此，建國復國大業各憑本事，無足為奇。但當民國的反對者無限上綱，將新興民族主義作為奉天承運的號召時，已經不自覺地應和民國甚至民前的史觀。台灣主體成了一項超越存在，有待山河重整之日大放光明。它既被抬舉為召喚國族精神的神祕訊號，又被解釋為反映歷史現實的自然結果；它既是先驗的，也是後設的。如此，中華民國在島上經營的國家想像，竟然有了最奇詭的複製。幽靈又還魂了。

然而楊儒賓的一九四九論述並不就此打住。他提醒我們當年跨海而來的不只有冷冰冰的政權，還有豐富的文化資源。彼時大陸馬列主義當道，胡適、殷海光等自由派學者，徐復觀、唐君毅、牟宗三等新儒家學者，苟無在台灣自植靈根的機會，不能發展出日後的民主花果。其他文人學者從張大千、林語堂、溥心畬、臺靜農以降，莫不攜來中西資源，結合在地民情風土，才能有了兼容並蓄的台灣文化。

也正是在這點上，楊儒賓突出了一九四九作為接軌永嘉、靖康「南渡」文化的意義。楊儒賓所更關心的是台灣文化如何能夠獨樹一幟，在世變之後開出新局：納中華入台灣。對他而言，新儒家貞下啟元、返本開新的教訓，仍然饒富意義。更重要的是，新儒家經過喪亂，痛定思痛，逼出了儒家民主化議程。這一立論一方面讓他上通清初黃宗羲、王夫之等對「亡國」與「亡天下」的思考，一方面提出東亞政治的新典範，與歐西模式做出區隔。

楊儒賓立論有其理想性，但也留下引人思辨的餘地。台灣本土論者對楊的批判想當然耳，無足為式。可以注意的是，楊希望以台灣為定位，發展他心目中的東亞儒學體系。他的邏輯是，如果日本和韓國都曾競相作為東亞儒學的代表，台灣就沒有必要自外這一「國際」對話過程。有朝一日自立門戶，不也還可以師法日韓，成為中華文化的域外詮釋者？這一邏輯頗有曲徑通幽之妙，楊教授的本土派同仁或者可以發出會心微笑？不論如何，回顧共和國的前三十年以批孔批儒為能事，最近三十年則搖身一變，在國內大談「天下」「王霸」，在海外遍設「孔子學院」。比起來，一九四九以後台灣延續新儒家一線命脈，就更顯得彌足珍貴。

但問題也出在這裡。推崇儒學歷久彌新的意義之餘，楊儒賓似乎呼應李澤厚先生的「樂感文化」論[2]，將儒學看作是逢凶化吉的良方。章太炎曾延伸唯識宗的「俱分進化」觀提醒我們，歷史現代性的發展善惡苦樂相衍相生，必須等量齊觀。借題發揮，在漫長二十世紀中儒學「俱分進化」的事實，仍然有待思考。比方說，一九四九以來台灣新舊儒學復興是否也能產生「幽暗意識」的辯證[3]，就是一項課題。

《1949禮讚》重新看待台灣的民國史，挑起一個我們習而不察的話題，勢必引發爭議。楊儒賓教授一出手果然不同凡響。反對楊教授者的許多說辭可以預見，我

2 李澤厚，《實用理性與樂感文化》（北京：生活・讀書・新知三聯，2005）。

3 張灝，〈幽暗意識與民主傳統〉，《張灝自選集》（上海：上海教育，2002），頁1-24。

們關心的是，政治的你上我下只有兩種選項，知識分子從事研究論證時，卻應該仔細問難，拒絕化繁為簡。兩岸的關係從來緊張，楊教授的用意不在兩邊（不）討好，而是提出這樣緊張性的知識論內涵。他的做法讓我們想到已故巴勒斯坦裔學者薩依德（Edward Said, 1935-2003）面對巴勒斯坦人和猶太人的千年恩怨，所作的種種觀察和介入。

但除了以上話題外，我們同樣注意楊教授寫入此書的另外一種歷史。因為一九四九，徐復觀來到台中，和霧峰林家諸君子往還，埋下台灣儒學與民主種子；原籍山東的古董商趙老與本土青年學者楊儒賓成為忘年交，展開翰墨因緣；清華大學來台復校，為水木清華添加竹塹風情；清華校友孫立人將軍歷盡滄桑，平反後贈給母校的五彩茉莉，竟在十月小陽春裡「幽幽開著紫白交雜的小花」……。這裡有楊教授的史識，也有他的深情。一九四九的「南渡」由缺憾開始，幾經風雲際會，對台灣最終的意義，理應將「缺憾還諸天地」（沈葆楨語），開出有情的歷史。然而「強國」壓境，環顧此刻瀰漫島上的戾氣與喧囂，《1949禮讚》所流露的感喟，豈不在在令人三思？

序二

黃土地與藍海洋

陳怡蓁（趨勢教育基金會董事長暨執行長）

楊儒賓是我的大學同學，我們這一班至今仍然時相往還，親愛精誠。同學們嬉笑怒罵，挖苦打鬧，從不避嫌。然而對外人，我們都羞於承認是儒賓的同班同學，不是為怕他滿頭白髮洩露了共同的年齡機密，而是唯恐別人誤以為我們的學問都跟他一樣好。

儒賓以第一志願考入台大中文系，早有青雲之志，數十年教書研究從不改其樂。從楚辭、老莊、易經，到瑞士心理學家卡爾·容格，他研究的範圍何其深廣，旁徵博引，總能以獨到的創見啟迪人心。我雖然老愛打趣他、捉弄他、跟他抬槓，其實偷偷認真拜讀他的論文，當真是「我腹無才，得三分之教，茅塞頓開」。

近日他忽然傳來一疊論文，說即將出書，囑我作序。這次的議題更具爭議性，竟是才不過一甲子之前發生的重大歷史事件。

我雖常為人作序，卻多是吳儂軟語，隨興而作。為「一九四九論」這樣擲地有聲的論述作序，深知自不量力。但是捨不得放棄沾光的機會，再說既然另有重量級學者王德威作序，我的序自然不足為觀，也就不必羞慚，因此大膽承應，同時決定保持軟語本色，也好讓人知道同學不一定同才。

說到一九四九，通常我們想到的是「撤退」、「遷台」、「毋忘在莒」這樣帶著創傷的字眼，儒賓卻別出心裁、隆重地用了「禮讚」。

他聚焦一九四九年，卻如鯤魚化大鵬，翱翔於歷史的縱長與雲空的廣袤之間，將我們帶向不一樣的視角，看見不一樣的一九四九。

先看那片黃土地。千年的歷史是千年的流徙，自從永嘉、靖康、南明以來，漢民族早就不斷南遷，台灣或許可以說是遷徙的最後一站。

再看這片藍海洋、海洋上最美麗的福爾摩沙島。四百年的歷史是四百年的海納百川。不斷接納著四海而來的移民，最關鍵的是一六六一年鄭成功驅荷入駐，一八九五年日人據台，然後就是一九四九年國民政府敗退入台。

黃土地與藍海島嶼的接榫原來竟是既定的走向，也是必然的命運。

對島嶼來說，每一次的移民潮，都可視為一種入侵，帶著不可避免的威嚇，甚至改朝換代的傷痛。一九四九從政治面來看苦難從未間斷，高壓統治、二二八、白色恐怖，誰言容易忘懷？但是如果抽離政治，換個角度從文化面來看，島嶼的收穫卻是無與倫比的璀璨輝煌：大批的文官、學者、作家、藝術家、教育家，帶著深厚的文化根柢以及敗戰後的省思而來。為了維持法統而建立的故宮博物院、中央研究院、中央圖書館等等，意外地使台灣從偏安一嶼的閩南文化、殖民文化，躍升而為中華文化的主流，進而擴張影響到南亞，立足世界而無愧。

此所以儒賓要「禮讚一九四九」！

作為同學的我，卻不免要擔心，出身中台灣農家，任教於清華大學，又曾投身反對運動，儒賓的「禮讚」難道不怕背負「賣台」的恥笑嗎？所幸書中蘊藏在禮讚背後的，是一片顯見的苦心孤詣，他細述災難帶來的歷史機會，更肯定台灣本土的創造力。一介書生耿耿直言，但求有益民主社會，無愧歷史長流，雖千萬人吾往矣！

移民固然帶來豐厚的文化資產，然而如果不是台灣人民本性的堅忍寬厚；如果不是暗自茁壯在日本侵略之下的台灣漢文化；如果不是長期的接納所養成的胸襟與胃口，怎麼可能承載得起這樣突然而至的大量、重量又多省多樣的移民？怎麼可能消化得下這樣滿漢全席的文化饗宴？

中華文化因此能夠在台灣重生，並且再創造！來自黃土地的根深柢固，落入藍海洋的波濤洶湧，在安定與冒險之間跌跌撞撞，在摩擦與諒解之間掙扎翻騰，唯其艱困，因而豐收。險境中開出了繁花似錦：新儒家、佛教、新詩、民歌、鄉土小說、現代舞、書法藝術、油畫、水墨畫，京崑劇、歌仔戲……看看！千百種哲思與文化藝術，在島嶼上百花齊放，並且沛然外傳。

移植的黃土地為了要傳承，不得不順應改變；而藍海的島嶼為了要生存，又必得向外拓展。如此一收一放，壓扁了又怒張，開出的民主之花，從玫瑰、野百合到太陽花，越來越瑰麗，越來越明豔，身上的刺卻也越來越尖銳。島嶼兀自在波濤洶湧中翻騰，藍與綠從來不曾真正和解。

這是屬於今日台灣的民主與文化，因為混血而更強壯，卻也因為對峙而失去了遠望的能力。

楊儒賓的一九四九論，企圖扭轉我們膠著的眼光，引領我們看向歷史，看向文化，或許因此而能真心地釋然，接受創痛，放下僵持。於是而有能力望向遠方，望向世界，認清已然危迫的局勢，齊心披荊斬棘，大步邁向未來！

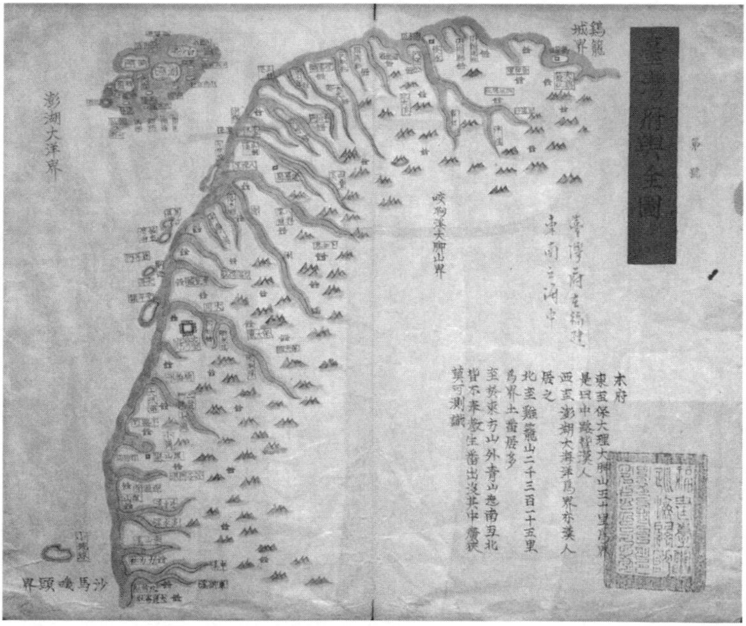

另一張台灣府地圖，畫工精緻，年代較晚。蓋有「福建台灣巡檢關防」。

自序

這本書本來是為作者個人而寫的，沒有成書的預期，它只是個人尋找自我定位的紀錄。身處八方風雨交會的島嶼，不管是個人的或是社會整體的方向，都不是那麼容易摸索出來的。我先是心虛地反思詰責，獨白式地自我與自我對話；接著或正經或不正經地將個人的反思化為群議的話題，有人贊成，自然也有人反對；然後因緣聚會，遂有文字。

有了短文，對自己已有交代。這些短文如果能靜躺於期刊或電腦中，以八千歲為春，以八千歲為秋，本無不可。書內的文字多是常識之言，常識到日常空氣的程度，沒有什麼好張皇的。但我們這個島嶼有些特別，常識通常特別缺乏。有些朋友看了書中的一兩篇短文，頗有感，認為我的常識不見得那麼「常」，「識」至少是見仁見智，但島嶼上應當有此一論，借以中和空氣中一種過度炙熱的有識之見。

作者生在冷戰形成不久的年代，距離一九四九大撤退不過七年，我們這個年代成長的人是呼吸冷戰時期「不沉的航空母艦」上的空氣以建構主體的。「不沉的航空母艦」是冷戰時期西方國家對台灣的想像，也是台灣當局時常用以自我安慰的咒語。在一次聊天中，一位政大哲學系的朋友說道：「我們這一代的人的生命是有共性的，大家閱讀廣文書局的一些新儒家文字、商務印書館的一些錢穆著作、慧日講堂的一些印順佛學、志文出版社的西方翻譯、水牛出版社的存在主義文本。接著是進入大學後的戒嚴法鬆懈時期，我們從黨外雜誌獲得課堂上學不到的知識，我們從台大、師大附近的書攤，獲得課堂上學不到的另一批左派的知識。於是平靜的知識基盤開始搖動，接著世界觀動搖，然後是懷著各種不徹底而聊可自贖的心情進行反叛。」

這位朋友說得很實在，我與周遭不少朋友都依循這樣的軌道長出了自我。我們這群在後一九四九大分裂時代生長的人別無選擇地，被命運狠甩在東西衝突與古今交會的銜接點上。我們個人生命的成長與框住我們生命的世界一起演變，時代的浪潮推著我們穿越蔣中正、蔣經國、李登輝、陳水扁，以至即將被穿越的馬英九的時代。然後少年子弟江湖老，憤青被流光帶入哀樂交集的中老年。

我們成長的共性是我們行動的原點，它框住了我們的視野，框住既表示具體化，也表示限制。不知從何時起，或許從國會全面改選後，我覺得自己已不需要耗神在偉大的政治議題，人生大有事在。但反而在政治熱退燒後，竟開始懷疑自己到底對台灣了解多少？懸疑逼出通路，我的撤退反而導向了另一種方式的進入，我逐漸相信內藤湖南的「文明遷移說」有相當的解釋力道，台灣可能是漢文化南移在地理上的終點站，而一九四九則是漢人南遷在歷史上最後的一波。很湊巧地，我的結論在姚嘉文律師於獄中撰寫的《台灣七色記》裡找到了印證——雖然姚律師可能不贊成這本書的論點。

本書原來以「1994論」命名。劉勰說：文體的「論」字意指「述經敘理」，高頭講章，莊嚴得很。本書如何能論？思考再三，乃易今名。筆者當初所以想加

「論」字，只是表示此書確實代表一種史觀，一種與個人存在的價值觀息息相扣的視野。書中論：一九四九是中國史上第三波具有深刻歷史意義的大移民潮；是台灣史上最關鍵的年分；民國學術是台灣學術的骨幹；台灣的存在對整體華人文化有獨特的意義，若此總總，信者自信，疑者自疑，歷史解釋總是橫看成嶺側成峰，沒什麼不可以論的，也很難說服別人自己的拙見到底有何卓見。但竊以為台灣輿論輿圖上若少掉此段議論，總是遺憾。

書中文字雖然是常識之言，但其登場倒不是那麼默默，大半的文字是伴隨展覽出現的，如西元二〇〇九年國立歷史博物館的「1949——新台灣的誕生展」；西元二〇一一—二〇一二年於國立歷史博物館、中國醫藥大學、國立台灣文學館分別舉辦的「百年人文傳承大展」；二〇一三、二〇一四年鹿港鹿耕書院辦的「在台灣談中華文化」、「反思當前中國的文化復興現象：新儒家、自由主義、社會主義的爭鬥與會通」兩場文化論壇。其餘的文字大抵也是根據在各大學的演講稿改編而成的。很明顯地，本書的緣起雖始於作者的自我叩問，但摸索的方向較清楚後，我還是期盼它成為有意義的公共論述的。黑格爾說：人是需要「被承認的」，這位不免誤解別人也常被誤解的大哲學家又說對了一次。涉世漸深，我對長期處於「被承認焦慮症候群」的「中華民國」好像有些較深的同情共感。

文章編成後，一直有些忐忑，反省不安的來源，發現主要來自於自己的藝低人膽大，撈過界了。心虛需要壯膽。論及一九四九的新移民／遺民現象，我和多數朋友一樣，馬上想到王德威院士。德威院士以慷慨好施，與人為善，著稱學界。我和他雖算舊識，但記憶中，似乎除了一次在哈佛被他請了一頓飯，再順手牽走一小包號稱波士頓地區最道地的手工巧克力外，對他樂以助人的業績似乎沒有什麼貢獻。此次面臨不可測之境，冒險搶灘，怕出師未捷，先滅了頂，只好厚顏請他保駕。

怡蓁是老同學，大學畢業後，大家各自努力，斷訊斷郵斷航，中間消息兩茫然。十年前有天晚上看電視，看見一對顯然關係極密切的男女接受主持人訪問，兩人同樣神采飛揚，明顯的人生勝利組。不用懷疑，那位女士應該就是我的大學同學陳怡蓁。由於我不用電腦，不用手機，所以不知道「趨勢」這家公司原來這麼厲害，也不知道張明正、陳怡蓁這對佳偶不管在先前的科技創業或現在從事的文化事業，已將台灣這個小小的島嶼翻了好幾番，弄得台灣上上下下很不寧靜。平素對他們公司的業績毫無幫助，事情急了，反正老同學難算帳，忍不住拉住她，要她拉我一把。

狐假虎威，有這兩篇夠分量的序打頭陣，心理安了一點。感謝我的兩位老友，感謝本書重要的增上緣林載爵發行人，感謝上述支持我的理念的各機構及聯經出版公司，也要感謝刊出書中各篇文字的期刊、專書以及這段期間一起激盪的朋友。

二〇一五年五月四日初稿
二〇一五年七月七日定稿

目次

1949與民國學術

1949與兩岸儒學

1949與清華大學

1949論

既是中國史上的劃時代年分，

同時也是台灣史上的劃時代年分，是千載難逢的偉大詩篇。

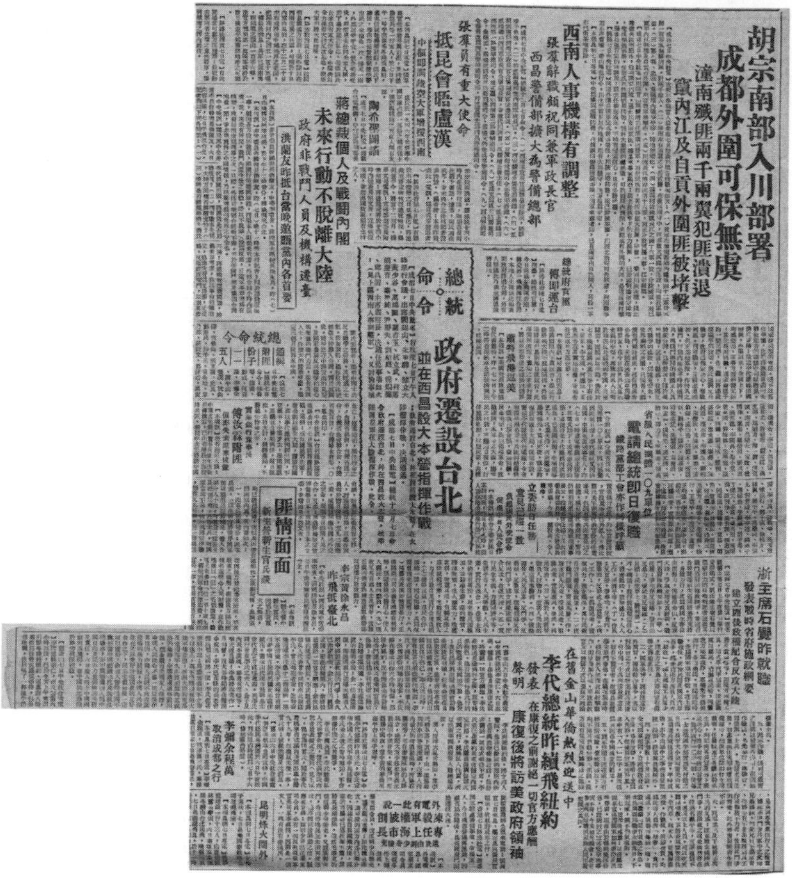
胡宗南部入川部署
成都外圍可保無虞
潼南殲匪兩千兩翼犯匪潰退
竄內江及自貢外圍匪被堵擊

西南人事機構有調整
張羣辭職顧祝同兼軍政長官
西昌警備部擴大為警備總部

張羣負有重大使命
抵昆會晤盧漢

蔣總裁個人及戰鬥內閣
未來行動不脫離大陸
政府非戰鬥人員及機構遷臺

總統命令
政府遷設台北
並在西昌設大本營指揮作戰

浙主席石覺昨就職

李代總統昨續飛紐約
在舊金山華僑熱烈歡送中
發表聲明
在康復之前謝絕一切官方應酬
康復後將訪美政府領袖

匪情面面

1949年元月國府遷廣州，10月遷至重慶，一個月後又遷往成都。一再播遷，所以遷都沒有了新聞價值。1949年12月7日「總統命令：政府遷設台北」。這場影響爾後歷史發展極深遠的事件，當時只躲在政治新聞版面中間的一小豆腐塊。

1949的禮讚[1]

一九四九年，一個不太受世人注目的歷史年分，此年歐洲成立了北大西洋公約組織，除了這個事件較受注目外，美、亞、非洲個別地區都有些騷動，但都不成氣候，相對而言，世界局勢可謂大體平靜無波。此年上距一次大戰善後會議的巴黎和會，恰好三十年，距離引發中日十四年戰爭的滿洲事變十八年，離二次世界大戰結束也已四年；此年下距古巴危機十三年，離越戰結束二十七年，離象徵冷戰體制崩潰的柏林圍牆倒塌四十年。比起上述的年分，一九四九此年在歐美史上或第三世界史上，都沒有太重要的地位，它似乎是個可以被忽略的數字。但一九四九此年在兩岸關係上卻是舉足輕重的，此年十月一日中共建國，新中國建立，爾

1 本文初稿〈1949的禮讚：「1949：新台灣的誕生展」前言〉，刊於《思想》第12期《族群平等與言論自由》（2009年6月）。

後的世界政治版圖就此全面改寫。此年十二月七日，國民政府遷移台灣，在一種更深層也更悠遠的意義上，新台灣從此誕生。台灣海峽兩岸人民各有他們的一九四九，一九四九年之於新中國，主要是政治的意義；一九四九年之於新台灣，則是文化的意義。

一九四九年是台灣的年分，它賦予台灣一種歷史定位的架構，台灣則充實了一九四九年在東方歷史上的意義。縱觀台灣四百年史，歷史斷層特多，文化意義的累積常無法連貫。大斷層的斷裂點通常是政權的遞換所致，而隨著政權的遞換往往會帶來移民潮的湧入。就漢人的觀點看，一六六一、一八九五與一九四九當是台灣史上三個最關鍵性的

台北中山堂是具有極濃象徵意義的地標，1949後，台灣成為美國封鎖中、蘇共產集團的島鏈防衛的重要環節。台、美聯合舞龍隊在中山堂前表演，可見一時風氣。

年分。一六六一年鄭成功趕走荷蘭人，歐洲海權在台灣的擴充行動戛然中止，漢人移民作為台灣社會變遷的歷史主軸就此奠定。一八九五年日人據台，台灣很快的淪為新興帝國主義者的殖民地，這個島嶼迅速的捲進了「文明化」的現代性行程，它領先它的大陸兄弟，進入現代的世界體系。一九四九年的歷史地標則是國民政府敗退入台，撤退雖是內戰所致，但也是尖銳的意識型態鬥爭的結局，其結果則是前所未見的大量移民湧入台灣。在這三個轉折期中，一九四九年的移民潮數量最大，改變的社會結構最深，牽動的國際因素最複雜，但也最有機會搭上歷史的列車，讓台灣走出灰白黯淡的默片時代。

在三波的大移民潮中，一九四九年所以特別重要，乃因當時的移民集團是以整體中國格局的縮影之方式移來台灣。我們不會忘記，也老是被反對運動人物提醒：一九四九是個受詛咒的歲月，因為純樸的島嶼此年被一個由失意政客、殘兵敗將所組成的政權污辱了。這個失德的政權被趕出了中國，它轉進了台灣，隨後卻將這塊救命的島嶼塗抹成所謂的自由中國。這種比例失衡的中國架構加上舊中國的官僚作風，曾帶給台灣相當的痛苦，讓它在政治的轉型運作中充滿了難言的斑斑血淚，也使它在爾後的國際活動空間中，嘗盡了苦果。一九四九的痛苦是歷史的存在，解釋不掉的。不管對新移民或舊住民而言，他們都被迫要面對一個陌生的處境，他們一樣有不堪的歷史記憶——只是不堪的面向不一樣。一九四九的台灣被籠罩在一片完全看不到陽光的陰影中。

但台灣背負的中國格局不盡是包袱，同樣重要，甚至更重要的面向也不容忽視，正是因為敗退的國民政府抱著代表中國正統的想法，所以才會有故宮博物院、國家圖書館這種世界級的文物進駐台灣，也才會有代表中國頂級學術文化意義的中央研究院、國史館、歷史博物館等機構文物進入此一島嶼，其他各級殘缺不全的政府組織也因應時局輾轉入台。物華天寶，千載一會。不誇張的說，一九四九年湧進台灣的文物之質與量，超過以往三四百年的任一時期。文物重要，但更重要的是人才的因素，除了眾所周知的大量的軍警人員外，最頂級的大知識分子與為數不少的中間知識分子也因義不帝秦或個人的抉擇來到此地。他們參與台灣，融入台灣，他們的精神活動成為塑造今日台灣面貌的強而有力因素。

台灣無從選擇地接納了一九四九，接納了大陸的因素，雨露霜雹，正負皆收。結果短空長多，歷史詭譎地激發了台灣產生質的飛躍。但獨坐大雄峰，誰聽過單掌的聲響？中國大陸的文化與人員因素也因進入台灣，才找到最恰當的生機之土壤。在戰後的華人地區，台灣可能累積了最可觀的再生的力量，其基礎教育、戶政系統、公務體系的完整都是中國各地少見的。台灣人民的祖國熱情雖然在前兩年的浩劫中被澆熄了一大半，但「艱難兄弟自相親」的情分猶存。更重要的，台灣在清領與日治時期已累積了豐饒的文化土壤，它的文化力量是和經濟實力平行成長的。如果不是台灣這塊土地以同體大悲的襟懷消化流離苦難，我們很難相信一九四九來台的大陸因素如留在原有的土地，它可以躲過從反右到文革的一連串政治風暴。一九四九之所以奇妙，在於來自於大陸的因素結合島嶼原有的因素，產生了大陸與島嶼兩個個別地區都不曾觸及的、也始料未及的文化高度。

一九四九年的奇妙也在於此年歷史曾將枷鎖套在台灣身上，但台灣卻掙脫了枷鎖的束縛。一九四九年以後，台灣無從選擇地被納入國際冷戰體系，成為西太平洋上一艘不沉的特大號航空母艦，它的功能被設定了，它與世界的關係也改變了。海洋不再是黑格爾所說的交流之天然管道，而是成了森冷的海上柏林圍牆。舊大陸此時成了匪區，它是島嶼人民的對立面。新大陸則貶視台灣為反共體系中的一環，它僅能擁有工具的地位。台灣在文化意義上比在政治意義上更像是座孤島，台灣的新舊居民不得不在封鎖的孤島上，摸索自己的未來。由於物質條件不同了，居民組成的成分多樣化了。亞細亞的孤兒在生物學的孤島效應下，發展出異於舊台灣的自由經濟、民主制度、文化樣式與生活方式，這樣的生活世界非東非西，亦東亦西。它發展出比中國還中國，也比非中國還非中國的新華人文化面貌。

一九四九年發展出的政治、經濟、社會

台灣在冷戰時期被視為太平洋上不沉的航空母艦，是圍堵共產勢力的島鏈之一環。美國總統艾森豪於1960年6月18日訪台，顯示其時台灣的戰略地位頗重要。照片為蔣中正陪艾森豪檢視儀隊。

制度與生活方式，顯然與十七、八世紀的傳教士或旅行家所見的華人社會面貌迥然不同，它不但是徹底的非舊台灣的，也是徹底的非舊中國的。在三個關鍵的象徵性年分中，一六六一年來台的明鄭王朝，能在政治上以區區島嶼抗衡大清，不可不謂是豪傑之舉。驅逐荷蘭此事在世界性的反帝抗爭中，尤具有指標的意義。但明鄭文化基本上是閩粵的區域文化，當時這一個區域文化總是受制於永不歇息的軍事行動，歷史沒有給它喘息以外的廣闊空間。一八九五年後的台灣子民能於異族專制下，借力使力，轉化「棄民」、「孤兒」的心境為奮進的動力，拓展開大幅的生存空間，其苦心孤詣不容後人不由衷感戴。但壓不扁的玫瑰雖壓不扁，其時的台灣子民不管在文化、生活或心理各種意義上都是附屬的，顯層的是附屬在扶桑島嶼，底層的是附屬在中原大地，台灣仍沒有成為啟蒙精神的子民。

從一六六一到一九四九，台灣這塊島嶼曾發生過許多可歌可泣的故事，台人精神之奮發也是極可感的，但無庸諱言，在長達三百多年的期間，台灣雖曾出現過不少優秀的學者、詩人、書家、畫師，但其作用基本上都是島內的，影響沒有波及全國。三百年的台灣極少出現過全國性的文化巨人，也沒有產生過全國性影響的學派、畫派、詩派、書派。沒有這些重要的文化指標並不意外，也不一定可惜，因為洪荒留此山川，原汁原味，它沒文明化，也沒有腐化。它的初步意義先是作為遺民與移民的世界，接著再累積創造力。從清領到日治時期，台灣的文化天空雖缺少耀眼的巨星，但民間社會的文化能量並不比大陸大部分的地區少。它需要的是更進一步地找到表現的形式，它的火山精神仍在海洋底層醞釀，等待有朝一日迸破而出。

一九四九年就是台灣等待的契機，因緣成熟時，台灣這隻不馴的怒海鯤鯨終將遽化為沖天大鵬，翺翔於世界的長空。但人在此山中，山的真面目是看不清楚的。只有走過歷史，回首反省時，我們才不能不驚嘆此年歷史意義之重大，它竟然能催生這麼燦爛的台灣新面貌，我們看到了傳統文化最精緻的發展：我們發展出中國佛教史上最典型的人間佛教，我們發展出民國哲學史上最具創發力的新儒學，我們擁有從飲茶到戲劇極精緻的傳統文人文化，我們也擁有深厚的東方社會之工商管理模式，即使在流行的庶民文化領域，從飲食到流行歌曲，我們也看到了一股壓抑不住的衝動。如果要尋找台灣的「正統」文化，我們不難發現：它不存在於政治圈的法統，也不在光豔耀眼的牌樓、博物館或大人物的紀念館，而是滲透在每一生活細節中的文化氛圍。在文化意義上，台灣比任何華人地區更有資格代表漢文化，因為漢文化在這裡是生活中的有機成分，它仍在欣欣不已的創造。

一九四九年曾是個苦悶的年分，不管是舊居民或新移民，沒有人知道台灣下一步的命運為何。地理的前方是汪洋，地理的後方也是汪洋；歷史的過去是苦痛，歷史的未來好像也還是苦痛。上自達官貴人，下至販夫走卒，大家都在鬱悶中煎熬，也在迷惘中摸

戰後台灣佛教的發展在中國佛教史上是不可能跳過不論的一頁，照片為第一屆台灣佛教講習會的畢業合照。第二排右起第一人為李子寬，第二人為趙恆惕，第六人為演培法師，第七人為印順法師。演培法師後面穿黑外套者為孫立人夫人張晶英女士。

索。但歷史的目的是曲折的，歷史的意義超越了個人的意圖。苦悶的一九四九年的最大意義就在於它的自我揚棄，一九四九的意義要在歷史走過一段路頭後，驀然回首，其豐饒的圖像才會經由苦痛的自我否定而顯現出來。蛻變在不知不覺中已經發生了，一種從一九四九長出的新興文化已是我們生活世界中最自然不過的氛圍，從飲食、語言到信仰，我們的社會早已有機的融合了藍海洋與黃土地的精粹。我們現在的一九四九轉化了歷史上的一九四九，一九四九需要經由後一九四九才能展現出它的本質，新的台灣就這樣被撞擊出來了。

一九四九的意義再怎麼宣揚都不會太過分，由於有了一九四九，我們的世界觀完全不一樣了。抽離了一九四九，我們的親友網脈就不完整了；抽離了一九四九，我們就缺少一塊足以和世界對話的宏闊背景。一九四九是個包容的象徵，隨著時間的流轉，以往建立在特定的語言、習俗、血緣上的舊論述不得不鬆綁，一九四九使得「台灣」、「台灣人」、「台灣文化」的內涵產生了質的突破。每一位島嶼的子民都不再鬱卒，它們與島嶼相互定義，彼此互屬。

一個迥異於過去四百年的新台灣已經被撞擊出來了，但更重要的新台灣還在形構之中。台灣在中國大陸旁，在東亞世界中，台灣的地理位置曾使它歷盡了不堪的滄桑。但痛苦是成長最大的動力，台灣的存在應該有更高的目的。隨著中國與東方在新世界秩序中的興起，台灣會在歷史的新巨流中扮演更重要的角色的，這樣的歷史目的論不是玄想，而是台灣人民很謙卑的一種祈求。因為經由血淚證成的創造性轉化，中國與東亞不必然再是台灣外部的打壓力量，它們反而是台灣內部創造力的泉源。我們不因懷舊而回首，我們的回首是為了迎向未來，回顧的雙眼與前瞻的雙眼是同樣的一對眼睛。歷史會證明：一九四九是個奇妙的數字，台灣人民將它從苦痛的記憶轉化為傲人的記號。

歷史災難與文化傳播[1]

此次會議頗有些文章提到戰爭與文化交流的關係，本年恰好是中日緊張關係引發的五四運動九十週年，國府大撤退來台的一九四九一甲子紀念年，也是六四運動發生的二十週年。在東亞外，最著名的當然是導致冷戰體制崩潰的柏林圍牆崩解二十年。會議文章提到戰爭的議題，不知是否與本年特定的歷史紀念意識有關。即使巧合也有意義，因為面對戰禍連連的近世東亞而言，如何消極地釐清歷史的「業障」，轉化重層的歷史「業力」，已是東亞人民無可推卸的責任。而如何積極地正視歷史災難，以期有意識的促進文化交流，這更是東亞知識人無所逃於天地間的責任。台灣人民擁有（或被擁有）重層的歷史經驗，對此的反省應該更深也

1 本文初稿刊於《台灣大學人文社會高等研究院院訊》第5卷，第2期（總第15期），2010夏季號。

更有義務擺脫歷史的宿命，化禍為福。

「災難」有雙重的構造：災難自身與災難的意義。就災難自身而言，災難就是災難，災難是對日常生活與對美好預期的否定。災難通常帶來巨大的財產與生命之損失，歷史性的災難其範圍又免不了擴散到大族群中的每一分子，人人在歷史性的大災難中，喪失掉原有的地位、財富甚至生命。大災難彷彿沒有底的，以為掉到盡頭的災難還會有更悲慘的劫運等候在前頭。庾信在〈哀江南賦〉中哀吟道：「天道周星，物極不反。」他哀吟的就是大動亂時期每一無辜生命的命運，此恨綿綿無絕期。災難違反生命的原始欲求，是人之所惡，災難的負面性質是我們反省災難意義的起點。

災難中最常見者是自然與戰爭引發的災難。自然界的天災史不絕書，颱風、洪水、地震、蝗災是天災中之常見者。由於天災大半不可測但又不可免，因此，人對天災的反應多半可藉著儀式化而常態化，透過「天意」、「劫數」、「三世因果」等理解的因素，天災遂變得可以理解，理解是解除一切強烈情感（含驚奇、悲傷等）的利器。宗教的解釋有時麻痹了真問題的解決，它是受害人民的鴉片，馬克思是這樣理解的。但面對終極困惑與非理性所能及的大災難，它也可因形上的必然，提供「理解」的利器，百姓得到了救贖。因為天災可以理解了，生命也就安頓了，耶律亞德是這樣理解的。馬克思與耶律亞德大概都看到了部分的歷史的真相。

相對於天災，由戰亂等人為因素引發的災難就比較複雜。相對於天災之不可測，人禍通常有原因可尋。然而，不管原因為何，「歷史的災難」本身就是個詭異的歷史難題，這就牽涉到「災難」的第二個面向：災難的意義之問題。眾所共知的一項事實：歷史的災難往往促成文化的交流，在近世東亞的範圍內，日本之「神功征韓」與「文祿、慶長」之役，都促使了草鬮時期的日本向歷史的里程跨進了一大步。永嘉、靖康之亂，胡人南侵，漢人渡江，中國的東南半壁在落難的北方文明與流離的北方士子的加持下，其文化迅速發展。一九四九的大災難又是個眼前的例證，此例證的深層意義或許還沒完全攤開，但它對港台及華人社會的深遠影響可能超過以往的單一歷史事件。東亞歷史上這種戰亂—文明發展共構並生的例子，在世界其他地區也發生過，十字軍東征，拿破崙稱霸，都曾引發大規模的文化交流與價值理念之滲透。「戰爭為文明之母」，此一殘酷的口號多少反映了「文明不仁，以萬物為芻狗」的殘酷的事實。

然而，是不是所有戰亂都是文明之母呢？恐怕未必。也許有更多的戰亂，其歷史意義就是戰亂，它代表一種黑暗的毀滅力量，純粹否定的黑洞。西班牙人入侵拉丁美洲，整個印加帝國垮掉，不知其歷史意義為何？侯景之亂、安史之亂，結果也是野無遺煙，室無活口，中國的大半山河陷入萬劫不復之境，這樣的災難規模有夠大，但不知其推進歷史前進的力道如何？以人類自我管理力量之薄弱，歷史的災難，恐怕是不可免的。朱子對理性的力量是有強烈信仰，也有強烈信心的，但他仍不免感慨：人無道到了極點時，世界可能會徹底打散，然後再來一遍。

天道無親，歷史無情。悲劇之大者，莫過於國滅世絕，文化摧毀。許多災難是在當事的人民或當事的民族還沒來得及反應前，殘酷的命運之輪已將他們輾得粉碎。在歷史的巨簿上，每翻過一頁，不知有多少語言與民族就此走入歷史的灰燼，他們甚至連被憑弔的機會都沒有，因為歷史遺忘了他們，他們連名稱都沒有留下。這些民族或語言為什麼要來到這個世界上，在還沒發光發熱前，就此斂光匿跡，永訣人寰，這種歷史悲劇思之令人泫然。

然而，災難無本質，災難的意義在當時發生的事件之外，它需要透過歷史演進的過程，其深層的意義才可顯露出來。每一次的災難提供的條件不太一樣，有的災難提供可以再生的物力與人力相當有限，有的災難則提供了災難者原先難以想像的物力與人力。災難不該被美化，所有的人為災害都是對人類理性的絕大諷刺。但災難既然不可免，有智慧的民族往往可以利用歷史災難提供的機會，借力使力，讓久被壓抑的民族精神更形發展。據說：猶太民族常是在歡樂中忘掉上帝，而在災難中才重新發現祂的，該民族因而可適時獲得拯救。

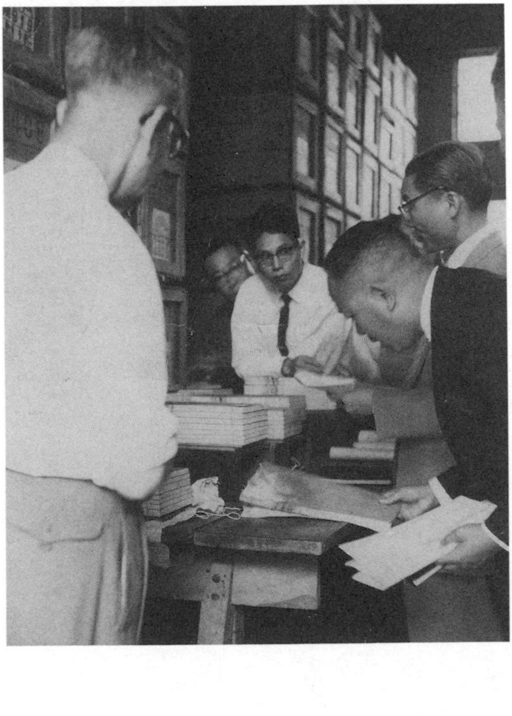

1949渡海來台者，大量的軍民外，也有大量的文物，歷史災難帶來文化的傳播。這張照片是台灣局勢粗定後，教育部的督學檢查海運存庫的善本書之一景。

災難、歷史與理性是歷史哲學中最令人困惑的理論難題。雖說人是理性的動物，但我們反省人類的過去，不難發現理性的建構力量通常是無力的，它無法推動歷史快一點邁進，突如其來的大災難有時反而可以扮演催生文明的角色。歷史的災難要和歷史的脈絡聯繫起來看，其結構才會完整。受難民族的發展不但有益於該民族，它也解放了災難的枷鎖，同時在一個深層的意義上，受難者的劫難可轉為禮物，使得原初的加害者與受害者同時獲得救贖。

天也者，參萬歲而一成純，王夫之引

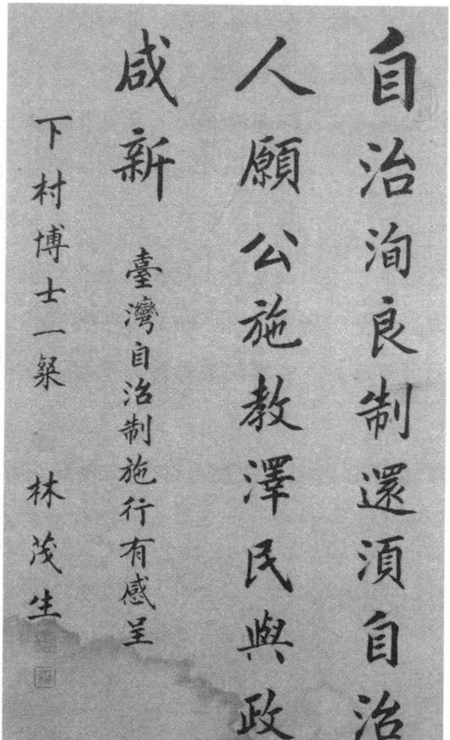
自治洵良制還須自治
人願公施教澤民與政
咸新
臺灣自治制施行有感呈
下村博士一粲
林茂生

林茂生為戰後台大哲學系教授，二二八事件時罹難。此件作品是他送給日治時期民政長官下村宏的一首詩。「民主」、「議會」、「自治」是百年來牽動台灣社會發展的一組理念，殖民的現代性是歷史災難帶來的禮物。

莊子話語，認為真正的歷史判斷只能在歷史行程終了，才可見出。基督教與黑格爾的歷史哲學也有類似的氣味，歷史辯證而複雜，有限的人往往無法參透個別事件的意義，只有凌駕歷程之上的上帝才可掌握全程的意義。然而，我們既然知道歷史的詭譎與災難的雙重面貌，我們就可以縮短歷史的行程。所有初民的神話傳統都告訴我們：「知」即可「控制」，「知」即可「行」。我們知道災難有時是理性最得力的助手，它以扮黑臉的方式完成了理性辦不到的事。既然理弱氣強，我們就可搭乘災難所提供的契機，使之從理。災難有可能不只是理性的助手，而是另一個分身。

歷史災難與歷史機會[1]

一九四九注定要成為全體華人必參的公案，因為，它有難以化解的歷史恩怨，也有難以穿透的歷史深度。在中共建國、中華民國台灣一體化、兩岸分治的過程中，幾百萬士兵的鮮血，幾千萬人的流離失所，幾億人的倉皇恐懼，共同鑄造了這段史無前例的歷史大變遷。一九四九的大變遷就像中國史上的大變遷一樣，它們的內涵都是由飢餓、恐懼、絕望、死亡所組成。差別在於一九四九的規模更大，災難因是現代性的，所以也更具臨場的性質，所以也更具凌遲的折磨之效果。

台灣是一九四九事件中的主角之一，它無可避免的被捲進一九四九的大災難之

1 筆者2010年7月29日應馬來西亞拉曼大學中華研究中心之邀於隆雪華堂講堂演講，講題為〈1949：新台灣誕生的機遇〉，本文依據當日的發言稿改寫。

中。比起遼、瀋、平、津、徐、蚌、京、滬的軍民所受的苦難，台灣人很難說更苦，也不好說較輕，因為遍地烽火中，我們找不到一塊乾淨地，我們也不易找到一個客觀衡量的標準，即使找到了量表，其數字也不會有多大的意義。韓非子問：餓死或凍死，哪種痛苦來得大？同樣的，我們也可以問：無知的上戰場而死與衝動的民變而死，哪一種的死較不那麼痛苦？從一九四七的二二八，到一九四九的大撤退，到五〇年代的白色恐怖，台灣人民確實受盡苦楚。但比起同一時期的中國大陸各地區，台灣人民的痛苦很難說更深、更大或更長。

但這種向下的比較是無意義的，災難一旦超過了理性能理解的範圍，數字的意義就坍陷了。何況對剛從異民族殖民統治下掙脫出來的子民而言，「中國內戰」是個陌生的概念，它不該是場涉己的事件。結果，台灣人民不但被捲進了，而且還是長期的受害者。對某些台灣人而言，台灣光復了，回到祖國了，結果台灣人民受到的是中華民國政府、中國國民黨、蔣家父子特務機構的「三重殖民統治」，得到的是殖民地性搶奪、資本主義性搾取、封建性掠奪的「三重剝削」。總而言之，祖國帶來的僅是「經濟恐慌、物價暴漲、飢餓、失業、社會不安」這樣的禮物。

上述的話語出自史明《台灣人四百年史》此書，《台灣人四百年史》長期以來被視為台獨主義的《資治通鑑》，它的政治立場是很清楚的。問題是：這樣的判斷有沒有道理？筆者認為：如果沒有一定的社會基礎與歷史經驗，這種高度政治化的語言不會引發共鳴的。如果我們僅從政治的角度來看，即使我們再怎麼同情的理解國府的施政，再怎麼設身處地的設想那一個全球充斥白色恐怖氣氛的年代，以一九四九為象徵年分的台灣統治經驗確實不是令人愉快的，台灣本

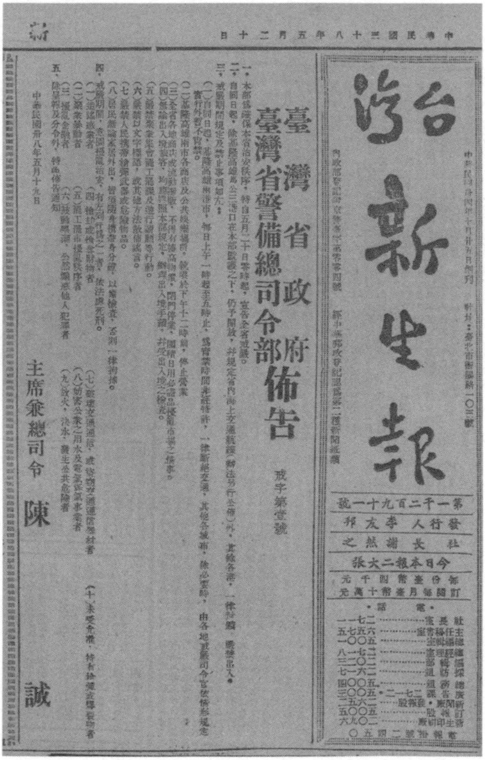
台灣新生報

中華民國三十八年五月二十日

臺灣省政府
臺灣省警備總司令部佈告

戒字第壹號

中華民國卅八年五月十九日

主席兼總司令 陳誠

1949年5月19日，台灣省政府主席陳誠宣布台灣地區戒嚴，這是公布於媒體的戒嚴法。

來不該走這麼多曲折的路的。如果國府統治者有更高的政治智慧，台灣應該不至於到現在還糾纏在盲動意志撞擊的歷史泥沼裡，久久不得脫身。

一九四九的歷史災難是真實的存在，追究災難、釐清債務、追求正義是所有公民的正當要求。君父之仇，不共戴天，《春秋》義之。中道而行，以直報怨，孔子是之。追究血債的責任可以給任何執政者一點警惕，讓他們知道權力不可濫用，公義必須伸展，人命必須尊重，筆者不認為儒家有任何的理由會加以反對。

然而，歷史終究是神祕的，關於歷史正義所牽涉到的轉型正義問題姑且不論，單單如何穿透歷史的神祕，本身就是個大問題。維根斯坦《名理論》說道：「神祕的不是世界是怎樣的，而是它是這樣的」，解釋碰到如如的現實，其效率的效力就有限了。一九四九年這麼激烈的變動，它的意義一定是多面目的，如果我們看待一九四九永遠帶著史明的眼光，或者只從經濟崩潰、族群壓迫（這樣的論點可以說相當主流，我們一定不陌生）的角度著眼，一九四九的意義會被壓扁成平面玻璃般的透明，深度沒有了，再生的力量減弱了，更糟的是一種苦難與創生的辯證力道消殺了。最糟的是：化力量為悲憤，化悲憤為耽溺，我們就在無窮後退的抱怨聲中，淘空了自己存在的根基。

如果我們從宏觀的視野看一九四九，從漢民族一步步承擔自己的歷史命運的觀點著眼，我們有可能脫離國共內鬥的史觀，而看出此一象徵的年分正是黃土文化與海洋文化接棒的一個象徵年分，也是東亞文明融會再編成的一個轉捩點。如果沒有太匪夷所思的歷史意外，一九四九的大量漢移民入台當是台灣移民史上的最後一波，也是漢民族南向路線自永嘉、靖康、南明以後的最後一站（姚嘉文的《台灣七色記》有此提法）。筆者的提法固然是史觀的問題，但這樣的史觀是有現實基礎的。台灣史上，我們何時可以找到這麼多元的、平均人力素質相對較高的移民潮？我們何時可以找到這麼多伴

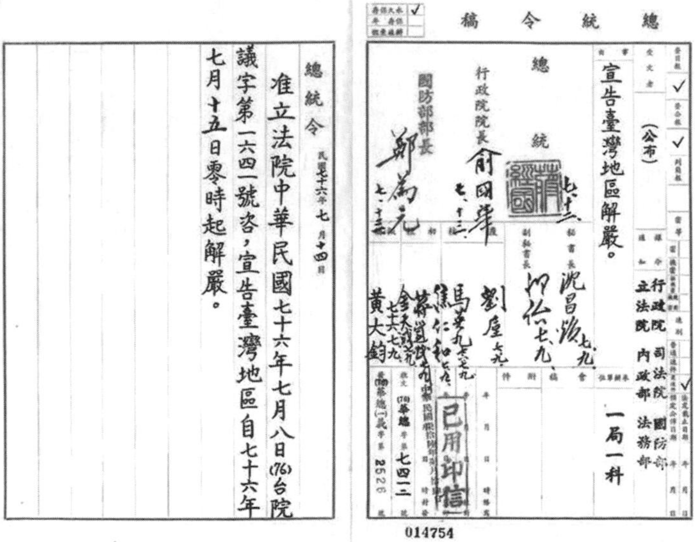

1987年7月8日台灣宣布解嚴，整整戒嚴了三十八個年頭。金門、馬祖地區的解嚴還要在五年後，1992年才終止戰地政務。

隨而來的文化財：故宮博物院、國家圖書館、中央研究院、清大、交大、中央、中山等等？哪一個苦難的年代曾經提供了這麼豐盛的歷史機會？

政治人物看一九四九，往往從政治的角度看，因為政治的視野最易聚焦，最易動員。但一九四九最大的意義恰好不在一時的政治得失，而是整個漢文明甚或東亞文明板塊的轉移。黑格爾說：「歷史不是幸福的土壤，幸福的時代在歷史上是一切空白。」這句話從政治的角度觀察是對的，讀歷史，看事件，總是令人悲傷，而對歷史事件的反彈總也能引發無限的同情。但歷史的意義總是在歷史之外的，天假其私以濟其公，歷史的理性通常要透過歷史的災難才能體現的。我們看一九四九，如果從政治的觀點轉到文化的觀點，如果從表層的事件的視野轉到底層的結構的視野，我們應該會看到不同的一九四九。

筆者相信一九四九是新台灣的誕生年，這種視角的轉移不會使得一九四九的苦難變得幸福起來，但可以使我們更謙卑，也可以使我們更自勉。因為我們立足的基礎是由千千萬萬人的血汗灌溉，由無數老弱婦孺傾海水般的淚水加持而成的。後行者當完成前行者的遺志，圓滿前行者的遺憾，這是歷史的鐵則。

1949與新儒家[1]

今年五月有幸參加香港中文大學哲學系所舉辦的「中國哲學研究之新方向——中大哲學系創系六十週年紀念、唐君毅百歲冥壽暨新亞書院六十週年院慶國際學術研討會」會議，會議期間，大會同時也為唐君毅先生銅像舉行揭幕儀式，整場會議頗有慶祝該校哲學系系慶並向唐先生致敬之意。中文大學哲學系源自其前身新亞書院，聽了大會的說明後，筆者才發現到一九四九對該校該系的歷史意義非同凡響，不但如此，它在香港文化史上也不能不大記一筆。因為論及香港較嚴格意義的哲學活動，應該從一九四九年一批逃難到香港的儒者創辦新亞開始算起，新亞哲學系六十年也是香港哲學六十年。該系系慶顯然不只是該系的，也是香港

1 本文初稿刊於《鵝湖月刊》，第414期（2009年12月）。

的，哲學─唐君毅─新亞在一九四九，可謂三位一體，其影響至今方興未艾。

一九四九，一個複雜、沉淪、流離歲月的代稱，此年一群不願接受中共意識型態統治的知識分子拋棄了他們的原鄉，流落到他們非常陌生的邊陲島嶼──台灣或香港。當時逃難到這兩個島嶼的大陸人士形形色色，逃難到台灣的內地人士之背景尤為複雜。就知識分子而言，比較值得注意的有兩種人物，一是自由主義分子，胡適、傅斯年、殷海光、梁實秋等人皆屬此道中人；一是文化傳統主義知識分子，錢穆、唐君毅、牟宗三、徐復觀等人可為此系人物之代表。這兩系人物的思想頗有交集，事實上，自由主義者所標舉

唐君毅先生立在香港中文大學的銅像。由於1949年一群知識人不見容於故國，花果飄零，中華文化才有機會深植於海外。香港的哲學當從唐君毅先生等學者渡海來港建設新亞書院算起。（此照片香港中文大學哲學系提供）

的民主與自由理念在相當程度內已成為當時國人的共識，文化傳統主義者可說無人不擁戴之，而且視為儒家在當今社會最需要堅持的理想目標。民主自由與文化傳統這兩股理念驅使不同的知識分子流離海外，因為他們認為在共產中國境內，這兩股理念是無法生存的。六十年來，這兩股理念卻在海外這兩塊島嶼生了根，牢牢的成為該地區文化中最核心的價值。大體說來，香港有了自由，台灣有了民主，在傳統文化方面則各有所得。而台灣因為在一九四九後承繼了故宮博物院、國家圖書館、中央研究院，以及各種等級、各種類型的文教機構，包括筆者任教的國立清華大學在內；更重要地，它還繼承了有些台人不喜歡也不願承認的中華民國。因此，台灣在文化傳統方面，享有更優勢的地位。

如果一九四九年港台這兩塊大陸邊緣的島嶼被併入「偉大的社會主義祖國」，那將是不可想像的大災難，不只對港台居民而言，對整體華人社群皆是如此。筆者所以在「偉大的社會主義祖國」一詞上特加括號，並非諷刺，而是對一九四九許多知識分子來說，一個紅色中國所代表的意義是正確、光明、而且偉大的，它是一百多年來中華民族各種革命的總結，也是未來中華民族發展的方向。我的一位舊識蘇慶黎，是位鬥士，她以台灣女兒的身分現正安詳地沉睡在八寶山的革命墓地，她的名字是她的父親蘇新在革命勝利前夕為她取的。他們那一輩的知識分子在紅潮洶湧中看到東方正興起紅太陽，他們慶祝黎明的到來。

然而，黎明前的黑暗也可以是很長的，六十年的發展證明紅色中國也會發生錯誤，而且可以錯得很偉大，錯到完全走到它承諾的理想的對立面。唐君毅先生等新儒家學者一再指出：社會主義所以在中國可以取得勝利，這和百年來中華民族要求平等、自由的內在需求關係極密切，和馬克思主義，尤其是史達林式的馬克思主義可以說不太相干。相對的，紅色中國對民主制度與文化傳統的解釋絕對是歧出的，而且會是一場災難。唐先生這些論點在由四位新儒家學者聯合發表的〈為中國文化敬告世界人士宣言〉一文上獲得回響，也成為當時他們共同支持的《人生》、《民主評論》等雜誌上的基調。如果唐先生等人的觀察是錯的，那麼，中國不知道該有多好。很不幸的，唐先生等人的觀察不但對，而且，紅色中國犯的錯還可以錯到匪夷所思的地步。

因為到了中文大學一遊，我才發現到一九四九年不但孕育了爾後台灣的脫胎換骨，讓此一孤兒命運的島嶼走進了一個兩岸人民當時連夢想都夢想不到的歷史新階段；它對香港一樣有旋乾轉坤般的影響，使此一蕞爾小島對世界發射出與其土地面積不成比例的巨大放射能量。此後，香港除了代表商業、金融、娛樂的刻板印象外，它還有更深層的面向可談。唐君毅先生曾稱呼一九四九的大逃難為「花果飄零」，「花果飄零」確實是二十世紀大中華地區最重要的文化現象，此逃難的規模或許比日本侵華帶來的局面還要深遠遼闊。然而，此次大災難很弔詭的產生了太平歲月所無法產生的豐碩果實。唐君毅先生曾以「靈根自植」自勉勉人，一甲子歲月的精煉證實了「靈根自植」不只是未來式的盼望語，而是活生生的事實。共產黨人說一九四九以後有了新中國，我們也有理由說：一九四九以後有了新台灣與新香港，而且新台灣與新香港是新中國逼出來的。

歷史性事件的意義通常不是事發當時就能看出來的，而是要走過一段歷史的行程後，其隱藏的意義才可透露出來。一九四九的意義正是如此，它有待後一九四九的發展，其完整的圖像才突顯而出。經過一甲子的醞釀，拉開了時間，我們終於有了反省的空間。站在歷史發展的高度，驀然回首，我們不得不讚歎一九四九年影響之重大。一九四九年曾意味災難、流離、撕裂，雖然歷史原本是由災難組成，災難常態化了也就變為平常。然而，許多的歷史大災難如侯景之亂、黃巢之亂，我們除了看到漆黑一片的痛苦與死亡之外，很難想像這些災難到底帶來了什麼積極的作用。有些災難的情況卻大不相同，它是文明之母，一九四九年的大流離失所就是個突出的案例。一九四九渡海南遷的規模可比永嘉南遷與靖康南遷，三者當合稱為國史上的三大遷徙，但一九四九大流亡潮的文化意義恐怕還勝過前朝這兩個歷史關鍵點。如果沒有一九四九，港台兩地的人民誠然可以減少不少的痛苦，香港不必容忍一波波的逃亡潮，台灣不必忍受一個流亡政權的白色恐怖統治。但偉大的歷史事件總是短空長多，所有的不幸都要化為下一步發展不可缺乏的養分。

歷史不見得是人可以自由選擇的，但歷史事件的意義卻是人民可以創造的。一九四九是悲劇，但正是有了悲劇的一九四九的加持，經過一甲子的實踐，兩地人民賦予了一九四九完全不同的內容。港台如果沒有一九四九，這兩塊大陸邊緣的島嶼，可能在文化上還是邊緣的。反過來看，一九四九的意義如果完全由所謂的新中國壟斷，沒有港台補充它的意義，那麼，一九四九恐將停格在悲劇的原點上。一九四九年以後的新中國是存在的，但新港台也是存在的，決定歷史新不新或進不進步的因素不在土地、面積、權力，而在當事者給文化增添了什麼樣的內容。既然一九四九的歷史影響由全體華人共同承擔，一九四九的意義也就當由全體華人共同詮釋，不能只是單音獨唱不斷的反覆。

時代在變，潮流也在變，進入二十一世紀，新中國與新港台的互動應該要有新的模式。理想上講，新中國與新港台不應該互為對立面，新港台對社會主義中國在國際事務上的反帝與在國內事務上的打破階

共產黨口中的解放即為國民黨口中的淪陷，圖為1949年華東郵政發行的「南京上海解放紀念郵票」，以及同年華南郵政發行的「廣州解放紀念郵票」。到底是解放？還是淪陷？歷史會給出答案。

級制度，總該予以肯定，並視為可以改善港台自家體質的有力借鑑。對話是必要的，但大中華地區的整合如果是個不可避免的趨勢，那麼，我們更應該堅持唐君毅先生等人當年原有的堅持：民主自由的制度、現代性的文化傳統以及兩者混合而成的生活方式。這種堅持乃是新儒家留給我們最珍貴的資產，也是我們對「儒家在當代社會」這個命題內涵最重要的補充。所有的交流、整合都不該背棄這個原則，否則，我們不但對不起新儒家學者的悲情深願，對不起新港台六十年奮鬥的價值，很弔詭的，我們也有可能對不起「新中國」一甲子來各種實驗所帶來的正負面的意義。

中華民國與後1949[1]

筆者在最近的一篇文章〈1949與新儒家〉中提到：一九四九逼使許多內陸人士離鄉背井，飄泊海外，香港與台灣因地緣與血緣的雙重關係，吸納流離人士特多。當時的接納可以說是強迫中獎，身不由己，其過程辛酸苦澀，不足為外人道也。誰知後來的發展卻出人意料，一九四九使得兩地的社會體質脫胎換骨，邊陲竟成了國際注目的焦點，隱然取得可以和中原抗衡的地位。兩個島嶼相對照之下，台灣因為「繼承了有些台人不喜歡也不願承認的中華民國，因此，台灣在文化傳統方面，享有更優勢的地位」。有些朋友不贊成我這種論斷，我也覺得應當作更多的說明。事有湊巧，上述的文章剛刊出沒多久，即有相呼應的聲音出現。

1 本文初稿刊於《鵝湖月刊》，第416期（2010年2月）。

事情的原委在今年新春開歲沒多久，清華大學圖書館舉辦了一場「唐文標文物捐贈展及紀念座談會」。唐文標號稱一代大俠，好惡分明，義氣人生，所以結交的朋友真是不少。身後的紀念會上，各路人馬雲集，追憶斯人平生，聲嘈語騰，穿透幽明。如九原可作，唐文標應當不感寂寥。在眾多朋友的發言當中，南方朔提出了一個問題：一位原在美國有正當職業的香港人為什麼要回台灣？為了回台灣奉獻所學，唐文標甚至和原來的配偶離婚，孤鳥南飛。南方朔提出的這個問題很有趣，可惜當日會場氣氛太熱，與會者沒辦法靜下來思索這個問題。但筆者認為此中有真意，唐文標的選擇很可能有些結構性的原因可說。

南方朔也提到了一個對照的例子，香港人在相當長的一段時間內，對內地人的態度相當冷漠。名作家徐訏在香港待了下半輩子，當了香港英文筆會的創始會長，但香港人不認為他是香港人，他對香港也沒有好感，沒有歸屬感。徐訏就像一九四九年流落香港的其他知識分子一樣，被貼上了一個特定的名稱：南來作家或南來知識分子。不管這些作家或知識分子到香港多久了，他們還是「南來」的，沒有在地化，也沒有被在地人視為「我輩」或「吾儕」中的一分子。唐文標是廣東人，與香港人在血緣上與地緣上應該都很接近，但唐文標和香港還是彼此不親，所以他選擇了台灣。

南方朔提的問題其實也是我當日想提的，只因一來當日來賓多，身為主辦單位中人，不宜多占他人的時間。二來，我會想到這個問題，主因不在唐文標，而在「唐文標選擇返台」此事不是個案，而是一個極顯目的現象，具通案的性質。許多在一九四九後流落海外的重量級文化人，不管他們暫時的歇腳地在何處，他們最後選擇的落葉歸根之地不是回到他們大陸的故鄉，也不是僑居多年的異域，而是歸骨台灣。錢穆、張大千、林語堂、梁實秋、唐君毅、牟宗三等等，莫不如是，這個名單很長，如果我們要將一些名頭不是那麼大的教授、作家、畫家等等算進去，名單更會是長得可怕。這些名單上的大文化人不是有家歸不得，他們往往是共產中國極力爭取的標的。這些人逝世的時間已在兩岸初步和解之後，他們不必擔心被清算，所以更沒有理由不埋骨於桑梓之地，但他們還是選擇了台灣。至於在冷戰時期埋骨台島的大文化人如胡適、于右任、溥心畬、梅貽琦等人，因不在本文論述之列，就不用多說了。

上述這些人不管在生前或身後選擇台灣，顯然不是出自經濟的考量，也與世俗的功利心無關，而是情感的因素。而且此情感應當不是泛泛而論的感性因素，否則，它無法產生這麼熾熱的驅力，死生一之，筆者相信它很可能牽涉到認同這樣的情感。正因為認同的因素使然，所以一旦認同的對象改變了，原來的故鄉即不再值得埋骨，長期羈旅的僑居地也不再值得留戀，他們寧願投荒海外，投到傅斯年所說的：「田橫之島」。

在一九四九的逃難風潮中，香港與台灣是接納內陸人士最多的兩塊區域，在一個宏觀的視野上，兩地其實都是一九四九最大的受益者，其受益程度遠遠超過大家耳熟能詳的韓戰與越戰的因素。因為港台在一九四九後，其受益不僅在經濟因素，更重要的是，兩地都獲得了強化自家社會體質的優秀人才，這種結構性的灌輸因而導致了本質性的改變。流落海外的內陸人士在脫離故國家園後，往往穿梭於港台兩地，這兩地在吸引人才的物質因素方面，恐怕沒有那麼大的差別，相對之下，香港也許還好一點。但這些文化人居住香港後，卻不被認為是香港人，他們也不自認為是香港人。我們很難相信：香港人天生會較排外，也沒有理由認定內地人會故意自外於香港。同樣的，我們也沒有理由給自我貼上美好的標籤，認為台灣人就較寬宏好客，天生的友善民族。我不相信這種本質主義的「民族性」，原因絕不在這裡。

筆者相信原因在於「中華民國」！一九四九後，中共認為中華民國已經不存在，「中華民國史」已經可以撰寫了，事實上，已有好幾本相關的著作問世了。而對有些極獨的本土派人士而言，「中華民國」雖在現實上存在，但沒有正當性，所以也不想承認它的法理地位。中共與獨派人士在大部分的政治議題上都是南轅北轍，但「否定中華民國」的立場卻頗接近。然而，對許多不認同中共，也不主張台獨的內陸逃難人士而言，「中華民國」卻是唯一的選擇。它再怎麼不討人喜歡，但比起共產中國或殖民地來，總要親切些。三害相權，仍要取其輕。唐君毅先生待在香港的時間比待在他的家鄉宜賓還要久，但他自言：他和香港可說是互不存在，彼此是外緣的關係。當他罹患癌症，自知來日無多時，他很自然的選擇了最後的歸宿。在他夫人代寫的末期日記中，唐君毅先生說：「他昨夜想了很久，他的病是不會好的，不過他相信他還可以拖一段時間，他希望在台能有一小屋，自己有屋，就可以少麻煩人，台灣是自己的國土，死亦應當死在這裡。」又說：「我們應買一塊墓地，不必太大，只要能葬我二人就夠了，我們生在一起，死亦要在一起。」唐先生的話很令人感動，比《禮記》所說「狐死首丘」的情懷多了一份悲愴感。但這樣的臨終抉擇應當不令人意外，我相信當年不管用雙腳或用骨灰投進台灣懷抱的人，他們的心裡恐怕都有此種情愫。簡單的說，他們認定台灣是我們自己的國土，我屬於它。

唐君毅先生等人所投身的「台灣」，顯然不會是地理意義的這塊島嶼，也不是台獨基教主義者所想像的純粹台灣性的島國。以唐先生一生追求儒家的現代化，將民主自由視為明末顧、黃、王以至當代熊、梁等大儒終身追求的政治出路，他也不會認同國府的白色恐怖政治。他之所以投入台灣，乃在台灣所負載的精神意義。這樣的精神意義其實文化的作用大於政治的作用，但依當代的「屬國主義」的思維習慣，它不得不歸到「中華民國」一詞名下。筆者相信不管生前或死後投身於台灣這塊島嶼的內陸文化人士，他們的選擇都是基於某種的「中國性」，他們在台灣這塊島嶼上發現到一種與某種不見得理得清、說得明之「中國」有種血緣的親和性。這些被共產中國視為叛徒或人民公敵、在心態上接近「遺民」、「棄民」的現代遊子，飄泊多年後，只有在這塊島嶼上才找到了足以維持其人格完整的寄託地。

「中華民國」作為百年來華人社會最重要的政治符號，它的作用絕不只是政治的。當我們只從政治權力的角度去解讀它時，很容易忽略此符號所負載的深層而又強烈的情動因素。當一個地區的居民自認不屬於任何一邊的中國，而安於有自由氛圍的殖民地時，他對來自於其他地區的華人不容易有迎納遊子的念頭；相對的，這些在經濟、生活各方面都受惠於羈留地的「遊子」也不會太認同此地，更不要說有返鄉之感了。相反的，當一個地區的居民認為他們屬於另一種「中國」，

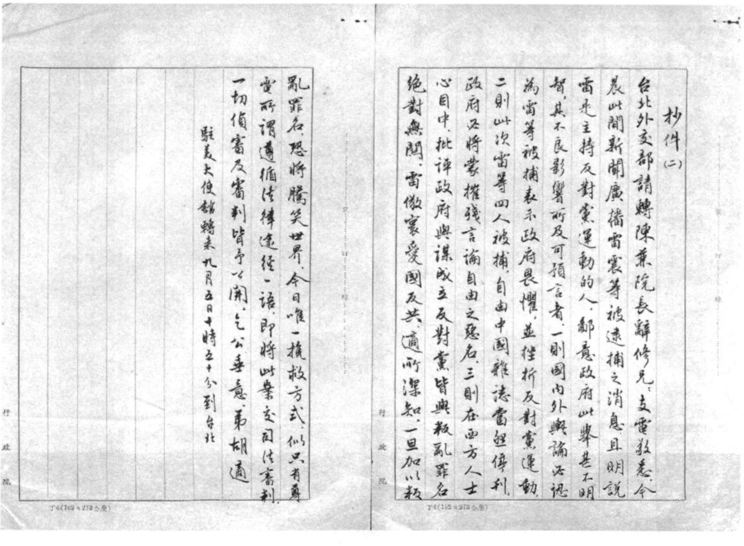
抄件（二）
台北外交部請轉陳兼院長辭修兄：支電敬悉。今晨此間新聞廣播雷震等被逮捕之消息，且明說雷是主持反對黨運動的人。鄙意政府此舉甚不明智，其不良影響所及可預言者：一則國內外輿論必認為雷等被捕表示政府畏懼並挫折反對黨運動，二則此次雷等四人被捕，自由中國雜誌當然停刊，政府必將蒙摧殘言論自由之惡名，三則在西方人士心目中，批評政府與謀成立反對黨皆與叛亂罪名絕對無關，雷儆寰愛國反共，適所深知，一旦加以叛亂罪名，恐將騰笑世界。今日唯一補救方式，似只有尊重所謂遵循法律途徑一語，即將此案交司法審判，一切偵審及審判皆予公開。乞公垂意。弟胡適
駐美大使館轉來九月五日十時五十分到台北

「《自由中國》事件」發生於1960年，戒嚴時期極不光彩的一章。雷震的同志友胡適其時在美國，給陳誠發電報，表示抗議。此文稿為行政院流出的電報譯稿。

這樣的「中國」雖有令人厭惡的白色恐怖，也有沒說服力的法統，但此地有各種文化中國的象徵，有情感、語言可以共通的居民，有種相對的自由與自在感的氛圍。那麼，不管對原居民者或對「遊子」而言，情況就大不相同了。由於「中華民國」具有這種內涵，所以在冷戰時代，有許多「大陸同胞」、「華僑」投身其中，他們後來構成台灣居民不可分割的一環，這樣的現象再自然不過了。

至於「中華民國」沒辦法得到某些本土派人士的認同，即使他們在現實上不得不接納它，情感上總無法親近，這也是可以預期的。當國府一方面聯結台灣與「中華民國」，讓它成為反共或非共人士的替代家園時；它在相當程度內，同時也以

新台灣也有黑暗面，但有壓迫即有反抗。1987年解嚴前，台灣的體制外政論雜誌統名曰：「黨外雜誌」，黨外雜誌時常被禁，但越禁賣得越好，越禁新雜誌出得越多，《美麗島》是其中最著名的一本刊物。此雜誌的成員在民進黨成立後，即轉為該政黨最大的派系美麗島系，該派系現已式微。

「中華民國」排斥了台灣，造成另一批的台籍人士有家歸不得。認同是情感的事，對被暴力阻擋在國門外的人士而言，任何人都沒有權力要求他們去愛這種暴力所代表的政治符號。「中華民國」的情感本來是可以不分裂的，分裂是現實政治狀況的自然反映。後一九四九也有陰暗面，所有國人都不該忘卻這段複雜的歷史經驗。

不只是苦難的故事[1]

一、序一

「流離」是二十世紀文學界極流行的主題，這個主題之所以流行和二十世紀大規模的戰爭有關，戰爭是引發人口流動最大的動力。在二十世紀，即發生了兩次全球性規模的大戰，而地區性的戰爭也始終烽火不斷，未曾平息，這些戰爭帶來了千千萬萬流離失所的災民。流離總是苦難的，對於苦難的沉思常會引向偉大的文學創造之路。國家不幸詩家幸，但詩家不幸也是國家幸，二十世紀的文學多建立在戰爭—流離—苦難的基礎上。

1 此文是擬自印的《1949說1949》一書的序一、序二及跋語。原書因私人信札的著作權問題，短期內難以出版。

中國是戰亂的國度，也是流離的國度，在二十世紀的大流亡潮中，中國也加入了這個行列，而且還是主要的貢獻者。戰亂流離與中國歷史一樣的古老，也與中國文學一樣的古老。中國最古老的詩歌總集《詩經》中的名篇〈黍離〉、〈東山〉等都是詠嘆改朝易代的悲歌；西元五七八年，庾信面對侯景之亂後，寫出了流離文學的千古名作〈哀江南賦〉；杜甫經過安史之亂，遂有〈北征〉、〈秋興〉一連串震古鑠今的詩作；明清鼎革，一連串的屠城、流亡也逼出了吳梅村、陳子龍的詩作、孔尚任的《桃花扇》，更不要說輝映千古畫壇的四僧、龔賢等人的名畫了。相對之下，二十世紀的兩個大流亡潮：抗戰西遷與一九四九渡海，其動亂規模夠深夠大，但所催生的作品不夠偉大，至少比起西遷、渡海這兩個歷史事件之歷史意義，文學作品沒有撐起相應的文學價值。

一九四九渡海此事件的歷史意義極深遠，個人相信它的影響之深之遠會超越抗戰西遷，而往上足以抗衡永嘉南遷、趙宋渡江這樣的格局。文學家還沒充分的描述它，藝術家也還沒充分的彰顯它，學術工作者對此事件的重層結構所挖掘的內容更是單薄。文學家、藝術家、學者都是歷史事件的反思者，反思者既然不夠努力，那麼，不如由當事者自己道來。

歷史需要發聲，災難需要詮釋，痛苦需要撫平。筆者認為一九四九大撤退浪潮就文化觀點來看，具有極重要的內涵。漢文化不斷南移，這是中國歷史發展的一條大動脈，一九四九渡海是文化中心南移運動最近也最典型的一個案例。一九四九使得台灣文化由地區性的提升至足以和東亞對話的地位，它也促使台灣四百年來首次得以實質性的參與漢文化大傳統的論述。然而，這樣的提升並非僥倖而至，一九四九的災難確實是存在的，而且量極慘烈壯闊，質極深刻幽微。正因災難如許深，所以轉化的力道也要成正比例的如許大，才能相稱，也才能修成正果。了解一九四九的苦難，乃是了解一九四九意義的起點。

本集收錄的信件幾乎都是在台灣搜羅的，所以內容和台灣的關係特別密切，筆者詮釋一九四九，本來的用意也是希望聚焦台灣。信件的寄信者或收信者中，新住民占最大的比例，因為台灣的族群中，他們動盪流離的比例最高，有撰寫能力的軍公教人員占的比例也較大。我本來期待能收到台籍老兵或南洋台灣軍伕等人在此時期的手札，將不同背景的台灣居民的傳記資料合攏來看，一九四九渡海的歷史拼圖才可以更完整些。可惜，天不從人願。

雖然如此，一百篇的當事者之現身說法，也有代表性了。筆者搜集這些信札時，謹奉僧璨〈信心銘〉之語：「至道無難，唯嫌揀擇」，所以不特別揀別本（省）外（省）、紅白、藍綠、貴賤，逢相關內容即收。結果這種隨機性的搜集反而更具代表性，信主從總統至販夫走卒，階級屬性涵蓋面廣；地點從東北至海南，地緣的差異性無意間也兼顧了。信主寫這些信札時沒有預期會給第三者看到，寄信者與收信者除少數是公事的上下級官僚關係外，多為親人、朋友；內容多直抒胸臆，不假修飾。所述事件，多為第一手報導，原汁原味。這些資料未經他人修飾，也未經信主本人執筆重述，所以所說的內容應該能反映信主其時的想法，可謂實錄。至於客不客觀，那是另一回事了。

這些信札多寫於六十年前，一甲子歲月的滄桑，少者已老，老者已往，鴻斷雲天，雁沉黑水，撫今追昔，存歿兩茫然。筆者即使想徵詢他們的意願，除少數特例外，大半無從徵詢起。「四九渡海」是歷史共業，是華人的共同記憶，相關史料極富教育意義。本書原來的構想是不述不作，筆者任歷史顯現自身，讓意義與時緜延，希望血淚文字最後可以返身自證信主的悲愴坎壈。但本書最終還是且編且按，筆者巧借一紙半箋的吉光片羽，偷渡一個時代的悲歡離合，其目的終究是想證成一隻火鳳凰（新漢華文化）正從歷史的劫火中孵化而起。有道是：後世欲知江山興廢，且參昔日渡海因緣。

二、序二

我本來不是要編這樣的一本書的，這本書長成這個模樣非我所預期，但既然成長定型了，我也很樂意接受這種面貌。原來書籍也是有機體，種子播下去了，萌芽、成長、茁壯，它有內在的生命韻律。

我要編的不是一本大分裂的苦難史，人人都知道的常識不需要再重複；我要編的也不是一部因外來政

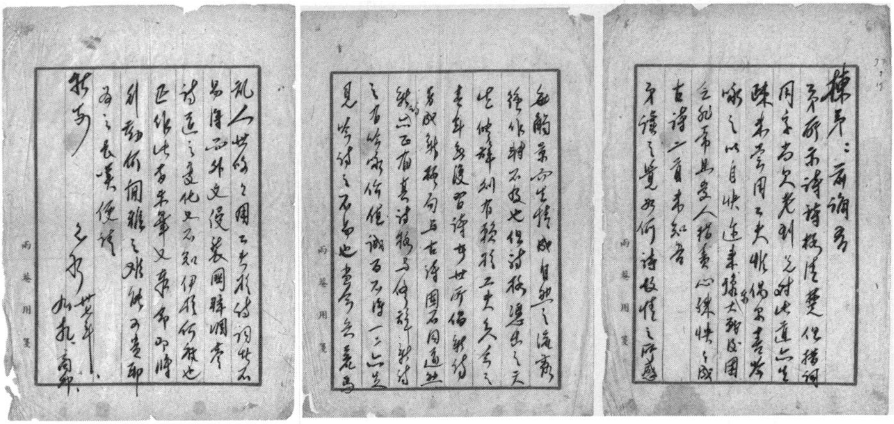

這是淮海戰役（台灣稱徐蚌會戰）悲劇將領邱清泉寫給其弟的一封信，可能是他存世的最後一通。國府為紀念這位「剿匪」犧牲的最高階級將領，以其名命名台灣最大的一座空軍基地——台中大雅的清泉崗空軍基地。這座基地在越戰時期，承擔很吃重的支援美軍後勤任務。

權加壓到人民頭上所帶來的迫害史，每次選舉我們都可得到比史實還要多的資訊。我希望呈現的是在災難中帶著抗爭、在剝削中帶著饋贈、在殘忍中帶著人性，在一團黑漆漆的絕望中帶著一絲光明，總而言之，也就是在絕對的不可能中蘊藏了可能的大歷史劇。沒想到昔日信札所期盼的可能性居然成了今日的現實，而且現實比預期的還要好，我希望從另一個角度看一九四九。

一九四九既是二十世紀中國史與東亞史上最具歷史影響力的象徵年分，也是台灣史上極具指標性的年分，它的整體規模是難以摸清的巨大，它的歷史影響是難以估量的深遠，因此，任何詮釋都很難免只是瞎子摸象，所以也就不可能只有一種觀察的角度。我看不出災難說或迫害說有什麼不能立論的地方，但我也不認為一九四九沒有更重要的面向。我認為從一九四九之後，台灣才真正有較完整、清晰的文化主體性格，這是個比傳統還傳統、比現代還現代的新漢華文化。如果沒有台灣累積了三百多年的文化力量接上了中華民國—台灣一體化的主體建立之契機，再接上數百年難得一見的文化財與人才之大遷移，還有：加上運氣，缺少了其中的一項，就不會有現在的台灣。

一九四九是個龐大而難以完全參透的歷史現實，我們現在有各種的解釋，但與其解釋，不如讓一九四九自己呈現。一九四九不會自己呈現，那麼，最好就由在一九四九事件中歷盡煎熬、徘徊、受難的過來人自己呈現。但這些一九四九的當事者一大半都已走入歷史，有機會論述當時史實的文章又一大半屬於事後追憶，事後追憶通常不甚可靠。即使事件可靠，氣氛也會走味，所以最好的呈現還是由當時人在當時言當時事的證詞。當時人在當時言當時事的證詞可社論、可日記、可詩文、可信札，不同的文獻有其不同的功能，我選擇了信札。因為信札最五湖四海，最滾滾紅塵，最能於油米醬醋見悲歡離合，而且相對而言最不會掩藏實情——有些人寫日記是希望留給後人塑造雕像用的。

一九四九的信札既為一九四九而編，所以最好能容納不同歷史經驗的人之證詞，面貌才得以完整。理想的信札集應當能反映當時的台灣居民之不同經驗，所以就構成居民的成分考量，它最好能容納從日治時期走過而又帶有漢文化意識或帶有強烈台灣意識的兩種在地台人；從日本、南洋或中國大陸返台的台人；在此轉換時期與台海兩岸關係密切的日、美諸國人；也當包含不斷經歷政權遞換走馬燈的台灣原住民在內；當然更要包括最受矚目的大陸來台新住民；如果有機會的話，最好也包括中國大陸廣土眾民以及周邊各國人民的證詞。

我最期盼的當然是此集能有「代表性」，可以反映一個時期台海兩岸、尤其是台灣社會的橫切面。這種理想的信札集很難作，幾乎可以說不可能存在。自從我有讓一九四九自己發聲的想法以後，我即開始搜集相關的史物，尤其是手札。但難度極高，主要的困難來自政治的干擾，一九四九雖然距今才一甲子，但因兩岸在此時期常處於紅色恐怖或白色恐怖時期，多言賈禍，很少人會留下手札這種現行犯的禍根。其次是不管台灣政治多敏感，一九四九相關信札總是有些數量，但手札在今日的收藏文化中

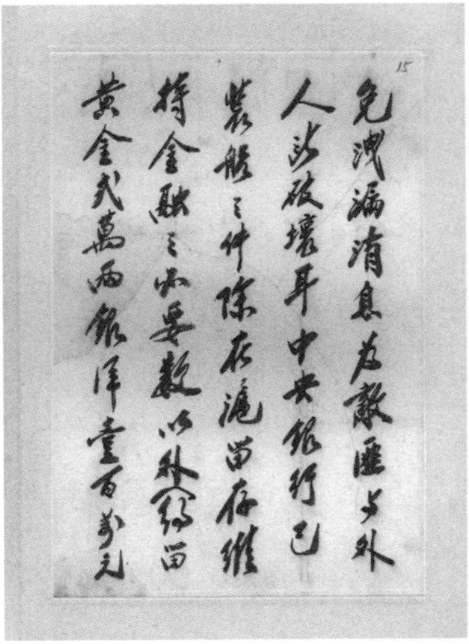

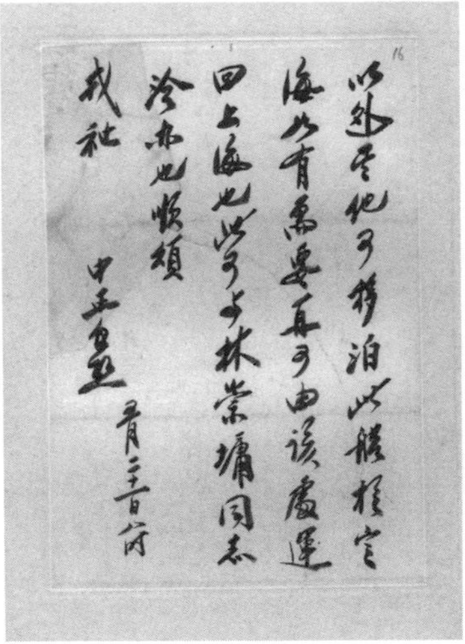

此信寫於1949年5月21日。下台的總統蔣中正以中國國民黨總裁的身分指揮京滬軍防區司令湯恩伯作戰。代總統李宗仁的命令不出總統府，他不知道已下野的蔣中正如此「以天下為己任」。此信言及運中央銀行黃金至台灣之事。寫完此信後不到一週，上海易手。

是列於郵票、郵戳的欄位。為了減輕重量，便於處理，集郵社除了少數的名人信札會連封帶信保留外，大部分的信件多是留封丟信，剝骨存皮，很標準的買櫝還珠——不是還，而是毀。第三是不同歷史經驗或不同族群的人，或因感受不同或因書寫習慣不同，留傳手札的比例嚴重失調。比如我很想收到原住民如何看待這場大變局的手札，這族曾被河洛人標籤為生番熟番、被日人霧社事件、被國府海山礦災的歌唱民族怎能缺席呢？但是收不到就是收不到。

我這些手札都是在台灣收的，由於解嚴後兩岸文物飛來飛去，海空並進，所以有些文物即使在台灣出現，不表示它一定可以代表是解嚴前在台的東西。但我相信一般非名人而且又不是具有特殊郵品價值的信函，因為經濟價值不高，應當都是一九四九前後當時在台、來台或涉台人士寫的。至於名人信札因相關資料搜羅較易，年代、人物及事件性質的斷定比較容易處理。這些手札都是台海兩岸大歷史變遷的見證者，它們的主人翁或收信者在這場世紀性的大變局中，都曾受盡煎熬。這些信札是今日的〈北征〉、〈哀江南賦〉，它們的內涵是內在於今日台海兩岸社會實體的血肉魂魄。

在搜羅手札的過程中，我網張得很大，廣開八面；但網路很密，絕不恢恢，總希望能一網打盡，再抽取足夠的樣本。所以聚集的人士上至總統下至販夫走卒，旁及日美人士；內容從大會戰的烽火至升斗小民的呼號，再延伸到板蕩年代的社會百態。貴賤（不管是價格或地位的意義）不拘，盡量囊括，只希望呈現一個較完整的一九四九，一個如如自顯、不增不損的一九四九。可惜搜羅所得，仍構不成完整的圖像。但從另一種角度想，凡存在即合理，凡合理即存在，多年搜集，多方搜集，僅得此成果。依概率算，很可能此種成果就是真實，至少這些信札的內涵應該可以合理的反映某種重層視野的一九四九。

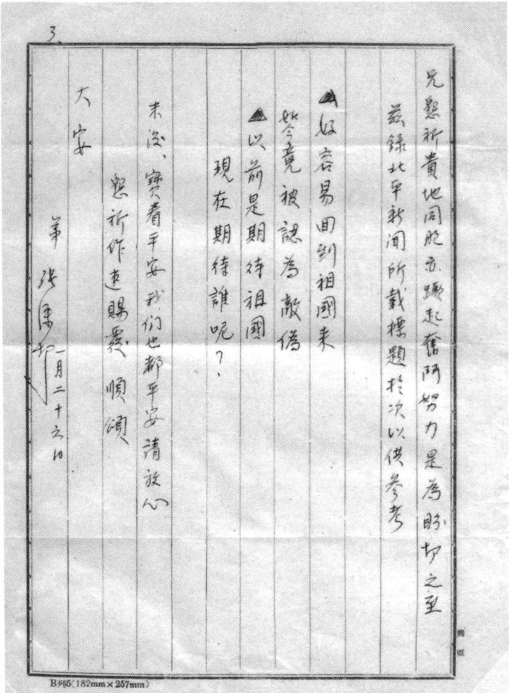
3.

兄懇祈貴地同胞亦蹶起奮鬥努力是為盼切之至
茲錄北平新聞所載標題于次以供參考
▲好容易回到祖國来
如今竟被認為敵僑
▲以前是期待祖國
現在期待誰呢？
末後、寶眷平安我們也都平安請放心
懇祈作速賜覆　順頌
大安
弟 張深切 一月二十六日

B列5(182mm×257mm)

張深切於抗戰勝利後在北平寫給台灣黨外運動前輩郭雨新的信，內有言「以前是期待祖國，現在期待誰呢？」這個問號在二戰後的台灣社會不時會出現。

我編了一本不是我原來想編的書，它滑出了我設定的跑道。聽了太多不同時期的渡海悲歌之後，我毋寧認為：偉大的民族應當如同周民族或先知時期的猶太人一樣，堅忍彊義，不畏苦難，他們視苦難為上天賦予他們的恩寵。偉大的古典精神是受苦的人民用皸裂繭結的雙手打造出來的，不是沉溺，不是粉飾，而是承擔才能有此創造的轉化。我期待這樣的一九四九，也看到這樣的苗頭。可惜這本證詞似乎證不出這樣的道理，內容還是很大江大海。但此書所以會呈現這樣的結果，也很合理，因為人在苦海中自然觸目皆苦，受想行識，亦復如是。苦難的意義是要當事者抽身離開苦痛的情境之後，再經長期省思證成的。火中蓮，岩間百合，苦難熬煉的黃金之花，這些昇華的生命精粹總需要一段歲月的加工才可催化而成。

儘管本書有根本的缺陷，這些手札無法預見，更無法預演這場災難事件後來發展出的偉大成就，但在已證得一九四九禪關初果的今日，返觀昔日的動地哀吟，還是有意義的，不是歸來始自憐，而是我們今日可以更清楚的發現歷史轉化的過程仍未完成。據說：苦難是創造之母，一九四九夠苦、夠災難、加持的人力物力也夠豐富，原則上它蘊積的創造力道應該很可觀。事實確也如此，但我們有理由期待台灣的發展應當要更好，如果沒那麼好，很可能我們對苦難的咀嚼仍然不足，汲取的養分也還沒有充分轉化成足夠的動能，所以一九四九還是應當繼續傾洩它的苦難故事！

這本書本來是要在一九四九年一甲子週年出的，那一年我在歷史博物館籌畫一檔不太受到注意的「1949——新台灣的誕生」展，也在清大辦了一檔「收藏1949」展覽，我既像王陽明所說的那位狂奔救世的呼號者，呼喊群眾注意久被埋沒的真理之訊息；也像戴奥尼斯在白天打燈籠，四處尋覓清醒的認識者。人間事總宜打鐵趁熱，如果我在渡海一甲子之際，奉獻給社會一本當事者的親身證詞就更好了。前言都寫好了，但當時受制於一些現實的因素，事情就拖過去了。另一方面的原因是兩岸的分裂雖始於一九四九，但今日分治的格局則大致定於一九五五年的大陳撤退、中美協防條約生效之時，所以時間上不是那麼急。如今技術上克服了這些障礙，我決定將一九四九的生命從昔日乾癟易碎的手札中喚出，同時，也將手札的意義從一九四九的束縛中釋放出來。我希望一九四九自己能大聲自白昔日的一九四九，也希望昔日的一九四九能從一瀉無餘的傾訴中蛻變成活生生、盈滿意義的當代之一九四九。如果一九四九有機會由事件走向原型，變成台灣社會象徵性的宇宙軸，那麼，隨時聆聽它的聲音是必要的。它夠苦難，也夠希望；夠污濁，也夠光明。

三、跋語

茅盾曾仿造高爾基構想的《世界的一日》一書，他也編了《中國的一日》。一九三六年茅盾向全國民眾徵文，徵文的內容是要求投稿者報導在五月二十一日這一天裡，中國各地的百姓做了什麼，每個人只寫自己家居或家鄉這一天的事。此一獨特的徵文果然引來極多的稿子，茅盾終於編出一本很有特色的書，反倒是高爾基構想的書沒有出現。茅盾此書的設計是想透過一個最薄的橫切面，以共時性的結構，切進中國人民日常的生活世界。茅盾的設想很有趣，他自己不主動說話，由社會說話；社會其實也不會自我表述，所以就要由社會的成員自己說自己。我想到：這樣的方式也許也可運用到一些更長的時間點，比如一年的時間段落之呈現上去。

我想到較長的時間點是落在歷史上發生過重要轉折點的年分，而不是隨機式的抽取。如果落在台灣的脈絡來講，我認為台灣史上有幾個重要的時間點如一六二四荷蘭東印度公司在台正式落腳，一六六一鄭成功入台，一六八三施琅攻台，一八九五日治開始，一九四五台灣光復，一九四九兩岸分治。個人認為其中最重要者為一六六一、一八九五與一九四九三個象徵的年分，這三個數字代表的都是政權轉移的歷史轉折點。我對這三個時間點都很感興趣，本來想仿效高爾基、茅盾之樣，依樣畫葫蘆，由當時人言當時事，透過他們的親身證詞，體現這三個時間點的意義。不但如此，為了存真，我還希望能以原件為主，一來有歷史感，二來也有藝術的趣味。

只是上述三個時間點保留下來的文獻多寡不一，種類也不一，所以如何橫切，不能不個別考量。一六六一難度頗高，不要說親筆書寫的文稿難求，即使要攏聚各方面的敘述以湊成一本書，都不見得可以做到，所以姑且不論。一八九五年牽涉到台海兩岸與清、日兩國，描述甲午戰爭與乙未割台之詩文不少，所以如要編成一八九五之人述說一八九五之事的書，筆者的設想將以信札、詩歌、錦繪、書畫作品為主。一九四九距今未遠，文物不少，而且解釋權比較沒被壟斷。一九四九此數字的意義自然指此年十二月八日國府宣布遷台、兩岸分治此一事件，但兩岸分治的結構是個歷史過程的產物，其結構不是一個年分能涵蓋的。我認為其源頭始於國共內戰，終於一九五四年大陳撤退，兩岸分治的格局才定了下來，所以文物當以一九四九為中心，上下四年。在一九四九部分，我將以手札為限，因手札的真實性最不易掩飾。

我希望透過四九年信札以見證一個大時代的變遷，懷茲頗有年。二〇〇九年為兩岸分治一甲子，台灣頗有系列活動紀念此事，龍應台的《大江大海》與齊邦媛老師的《巨流河》兩書最受矚目。我也不自量力，與國立歷史博物館合作，合辦了一檔「1949——新台灣的誕生展」。本來想同時出版《1949說1949》此書，但卡在著作權問題，出版社很難接手。事隔兩年，因清大校方表示文物館將要成立，我的藏品爾後勢必別時容易見時難，須作安排了。所以還是決定先編成「家印本」之書，以作教材用。否則，三步一徘徊，五步一躑躅，此書的意義也就磨掉了。反正等他日瓜熟蒂落，諸緣成熟時，再作正式出版之想也不遲。當我決定自印此書，並寫成序言之後，才發現我在兩年前已先寫了序言。時間相隔不久，竟隨寫隨忘，記憶凌亂如斯，頗堪自傷。兩篇序言同調異曲，主軸不變。本來擇一即可，但人難免敝帚自珍，左右環顧，再三踟躕，還是割捨不下，所以決定兩序並存。此書不足以言著作，也不宜當著作，它毋寧是對苦難時代受苦人民的弔唁，也是對一個大起大落、大悲大喜、哀樂相生的時代的證詞。我從舊書攤、骨董店、集郵社、拍賣行蒐集了這些信札，借著歷史的陳跡搭起了舞台，由昔日的當事者遊魂返照，現身說法。在此虛擬的舞台上，王侯將相，尋常百姓，發言平等。這些昔日的當事者要說給今日已大半神遊太虛的同代受難者聽，也要說給未來世世代代的子子孫孫聽。

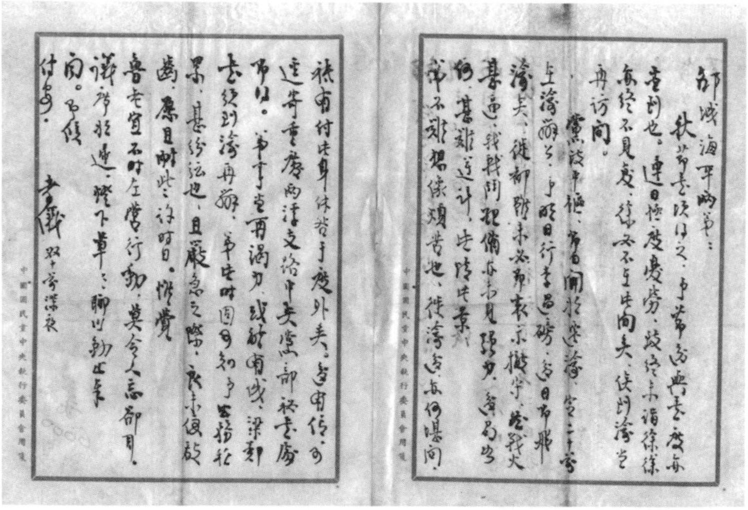

這是前故宮博物院院長秦孝儀在1949年雙十節前寫給朋友的信，其時國府正要從廣州再遷都重慶，秦孝儀嘆道：「此情此景……亦何堪問，衹有付此身休咎于度外矣！」兩個月後，國府渡海遷台。

1949與民國學術

民國學術不是學術遺產，而是活生生地發揮作用的資產，中華民國的學術即是民國學術。

「民國學術」一詞奠基在「中華民國」的成立上面，此為民國元年商務印書館印製的開國三傑明信片。

1949大分裂與新漢華人文知識的再編成[1]

一、格式塔視座的轉向

當代哲學家馮友蘭（一八九五——一九九〇）晚年反省他一生的學思歷程時，感歎吟道：「若驚道術多變遷，請向興亡事裡尋。」這樣的語句多少有意淡化個體在歷史情景中抉擇的責任，但詩中蘊含的政治主導文化之現象是無法迴避的重要課題。近代中國的歷史轉折太激烈，學術文化的行程常不能自已地跟著政治打轉，甚至連史實的詮釋也常不覺察地受到政治需求強烈的牽引，一九四九的意義也是如此。筆者認為我們如要了解民國一百年（二〇一一）的台灣人文學術，不能不

1 本文初稿刊於楊儒賓等主編，《人文百年化成天下（圖錄／文集）》（新竹：國立清華大學出版社，2011）。

回顧一甲子之前此一九四九關鍵性的事件。我不認為二〇一一年台灣的人文學術的發展有多理想，但不能不相信它是台灣四百年來發展最好的一個階段。我也不否認一九四九年是台灣歷史上一個極黑暗的象徵年分[2]，一九四九這個數字總是令人難以啟齒，欲辯還休，但我同樣不能背離常識太遠，我相當確定它是台灣四百年史上對文化發展貢獻最大的一條看不見的年線。

一九四九是台灣四百年歷史中極重要的分水嶺，此年分差不多中分二十世紀為兩半。一九四九年之前的台灣，獨特的文化面貌並不清晰，在荷領與日治時期，台灣是異族殖民體系的一環，清領時期，台灣則屬於另一異族但可歸類為中華勢力的範圍。只有在明鄭時期的二十三年與光復後到

1955年大陳島撤退是1949年渡海事件最後的一波，以後兩岸基本上穩定下來，此照片是來台的大陳義胞在台北街頭遊街的盛況。

一九四九年的歷史階段，台灣才屬於同族統治的國家，但其時台灣的政治主體性格不強。到了一九四九年，台灣政治的屬性才產生了質的巨大變化，筆者認為最關鍵的因素在於中華民國—台灣的一體化。由於有了中華民國—台灣的一體化，原來埋藏在台灣社會的新漢華文化[3]因素透過了文化接枝的融合過程，才找到了合理的表現形式。有了合理的表現方式，台灣才慢慢長出了明確的文化面貌。

台灣與「中華民國」的關係並不是自明的，兩者的交涉毋寧是道阻且長。當台灣誕生時，它並沒有見著「中華民國」一面；「中華民國」誕生時，則只能隔著台灣海峽與台灣面對面。兩者所以後來會有關聯，關鍵在於日本二戰失敗，台灣歸返中國。從一九四五年日本投降至一九四九年國府遷台期間，台灣在一般認知及實質運作下，都是隸屬在中華民國的名目下。一九四九年歲暮之後，這兩者的關係產生了變化，這種變化是結構性的改變。原來「中華民國」實質內涵的大陸土地與大部分的人民不見了，它帶著殘兵敗將、遺老難民撤退到台灣來，從台灣的眼光看，也可說是它附掛在島嶼的名目下。

聽說老黨外議員的郭國基嘗調侃中華民國政府道：「日本戰敗後，台灣回到祖國

2 這條年線是象徵性的，它不一定只限在1949此年上，而是可以上下幾年間游移，主要意指一段大遷移的事件，所以本文有時用1949，而不是「1949年」這麼特定的時代稱呼。

3 筆者認為現在的台灣華人文化是在漢文化基礎上茁壯的，故稱此為漢華文化。

的懷抱；大陸一失陷後，祖國走來台灣的懷抱。」[4]從一九四五年台灣光復到一九四九年歲末短短的四年間，台灣與祖國互有「懷抱」的關係。第一個台灣投向祖國懷抱的案例當然有很重要的意義，因為只有戰爭結束，日本終止統治以及台灣回到中國，爾後才有中、台之間的複雜情結。但更重要的當是第二次的反方向懷抱，因為當祖國走到台灣的懷抱以後，政治意義的中華民國縮小到台灣，經過一甲子歲月的錘鍊，原來的「台灣」內涵與「中華民國」結為一體。一九四九年在台灣史、甚至中國近現代史上最關鍵性的意義乃是中華民國—台灣的一體化，此一體化將「國家」的內涵帶進台灣歷史的行程中，爾後台灣的幸與不幸都是繞著這條軸心線展開的。

影響當代台灣人文學術最重要的主軸也是一九四九這條歷史紅線，如果說一九四九在台灣政治史的脈絡中是個充滿爭辯的符號，民主與威權、激進與保守、現代與封建、核心與邊緣等等二元對立的概念都可從中找到源頭的話，人文學術的發展也不例外。但本文認為：在這種兼具是非禍福的結構中，從文化發展的觀點看，正面的價值遠遠超過負面的影響。筆者相信從二十世紀下半葉到目前的二十

4 參見陳錦昌，《蔣中正遷台記》（台北：向陽文化公司，2005），頁190。原始出處不詳，但以郭國基所以獲得「大砲」的雅號及性格來看，他很可能講過這段話。

一世紀，台灣的人文學術的發展是噴發式的，它確實還青澀，發育不全，離應該有的高度還有段差距，但它所獲得的成果已遠非清領、日治、甚至四百年來的任一時期所能企及。關鍵的原因在一九四九，一九四九可以說是外在於台灣所帶來的事件，一九四九來台的政權也可以說是外來的政權[5]，但這個外來政權帶來的外來事件卻誘發台灣社會最內在的動力。伴隨著表層諸多政治事件激烈的衝撞，台灣社會的內部卻半主動半被動地作有史以來最重要的文化整合，這是場寧靜的革命，島內的本土文化與島外的大陸文化這兩股文化激流匯合成有機的整體，外來與本土的概念逐漸失去了原初劃分的意義，寧靜革命的成果終於揚棄了島嶼迂迴緩進的人文學術研究的本質。

一九四九對台灣人文學術的重要性太清楚了，但這麼清楚的事竟然沒有得到合理的評估，主要的原因是人文學術的觀點在一九四九的眾多史觀中缺席了，就像台灣社會一再發生的故事一樣，人文在各種場合都得了失語症，老是被綁架。綁架台灣人文精神最大的兩位現行犯，一位是科技理性，一位是政治意識型態。前者的理性化使得以往來自黨派、人脈、金錢、階級的影響在人文學術圈裡逐漸失掉

5「外來政權」說曾在島內的政治圈、尤其是國民黨內部掀起震天駭浪，從「台灣在1949年當時是中華民國一省」的觀點來看，政府遷移台灣只是內部的空間移動，沒有「外來」的問題。但從台灣內部的觀點，或從事後追溯的台灣主權獨立的觀點來看，1949來台的國府自然是外來政權。

作用，但也使得意義、價值、使命、正義這些古典的概念在校園裡日益凋零為明日的黃花，韋伯論理性弔詭的「鐵籠」之喻，在台灣社會得到徹底的體現。另一綁架犯——政治意識型態雖然一方面使得原本被壓抑的聲音終於有了出聲的管道，但也使得該有的眾多重奏和聲變成了分裂的各種單音獨唱。台灣居民歷史經驗相當複雜，政治意識型態的紛歧是必然的，也正因為如此，所以更需要多元的人文精神之關照。否則，一旦人文精神被綁架後，一九四九就會完全化成政治的符號，它只能成為各種政治史觀大聲喧囂的傳聲筒。

我們不妨暫時取下政治焦點的眼鏡，轉從事件的核心義考量。格式塔（完形）心理學強調人的認知是整體的，雙眼的焦點與視域背景是不可分割的整體，如果我們視座的重心有了「轉向」，也就是博藍尼（M. Polanyi）所說的「焦點意識」或「支援意識」有了調整，那麼，我們看到的景象有可能會大不相同。我相信我們如果把一九四九嵌在更大的歷史背景，往前延伸到明鄭以下台灣史傳承的脈絡，往後推延到渡海後一甲子的發展；同時也將一九四九置放在更多元的視野，我們的眼光從浮現在歷史長河中一連串的政治事件中暫時移開，轉從構成事件結構的知識力量、生活方式與文化財之象徵著眼，結果可能會很不一樣，筆者相信另一種的一九四九具足了顛覆主流論述強加在它身軀上的形象之力量，一九四九需要解放。

一旦它解放了，我們將會發現台灣是何其幸運。偉大的事件總是曠百年而難得一見的，當它翩然蒞臨時，其面貌一時之間不見得看得清楚。但隨著時光之流的來回沖洗，其面貌會越來越清晰，一九四九就是這樣的事件。它在文化意義上扮演結合連接器、變壓器於一身的總樞紐的角色，它借著東亞史上極罕見的大規模文化人力與文化財力之由大陸引進島嶼，打通了前近代（清領）、準近代（日治）與戰後現代、後現代之兩條歷史階段管道，它引爆了潛存的漢文化之動能，並以「中華民國」的形式，朗現了四百年人文社群精神外透的樣式。一九四九使得許多零碎的可能性融合為活生生的現實，一九四九的意義要在後一九四九脈絡才可顯現，一甲子之後的民國一百年是極好的反思點。一九四九在其他領域的功過也許不容易公平的評估，但在人文學術領域則很難再有其他的評估。

二、兩種意識的牽扯

我們現在談論一九四九，往往將它視為是外在於台灣但卻妨礙了台灣歷史行程的事件，因為「中國」的因素介入了，這是一個觀點。但我們如果將歷史的現場稍作移動，不要多遠，只要往前推移四年，也就是台灣光復的一九四五年，卻會看到完全不同的景象。我們現在所看到的文獻材料幾乎一面倒的顯現出當時的台灣人民對回到中國充滿了狂喜，而國際社會對台灣之於中國的關係，不管在法理上有什麼爭議，也極少提出質疑。事實上，美國在一九四九年想要拋棄中華民國時，不是「台灣地位未定論」，而是「台灣地位已定論」才是它最好的口實[6]。台灣人民為什麼會這麼熱烈的慶祝光復節，我們不妨回到有史以來第一次的光復節的慶典，在當時台北中山堂的禮台上，台大代理文學院院長林茂生博士以熱情洋溢的語言，向全台民眾宣揚光復後的歷史意義，他最後並疾呼道：「光復尚未成功」，他所說的光復是有特殊的涵義的。在同一天出刊的雜誌《前鋒》上，林茂生更仔細地說明此一詞語。他指出「光復」的意義在於三種大發現，一是發現自己是人，是自然人；二是發現社會，光復後才發現到具備社會正義的社會應該

6 1950年元月美國決定放棄台灣時，國務卿艾奇遜發表對華關係的談話，其中有言：「中國管理台灣已達四年之久，美國或其他盟國對該項權利和該項占領從未發生疑問。當台灣改為中國一省時，沒有一個人發出法律上的疑問，因大家都認為那是合法的。」所以美國不會軍事干預台灣，也不會提供對中華民國的軍事援助。至於「台灣地位未定論」之說另有脈絡，兩說都有國際政治的考量，茲不細論。

有的模態；第三，可能也是最重要的，乃是發現國家：「今也復到我父祖五千年來之國家，復到存明抗清之鄭成功之國家，與四萬萬同胞同心同德，同一歷史，同一法制，同一語言，同一傳統之真國家，此亦吾人自茲以往，不得不鞠躬盡粹，努力服務之真國家也。」林茂生話語蘊含的熱情在一九四五年的國慶日並非特例，而是一般民眾共同的基調，於公於私，於文於詩，類似的聲調一再反覆響起。但在這些聲音當中，筆者認為林茂生的認知特別清楚，這樣的基調非常值得再予分析。

一九四五年的光復節及爾後的各種節日慶典顯示一種強烈的情緒瀰漫在台灣的上空，人人都浸漬在難以掩抑的氛圍中，一般都相信這是「祖國情懷」，當時許多人的證言也都顯示重返祖國的情緒確實是排山倒海的。葉榮鐘先生提到光復初期台人的瘋狂祖國熱，不是為了某一黨，某一人，「這一種熱情所祈求的是血的歸流，是五千年的歷史和文化的歸宗。」[7]吳新榮在他的日記中也記載他製作了一份留傳給後代子孫的祖譜，內分兩部，第一部是記「國祖」，也就是黃帝以下各朝代的始祖；第二部分記家系，及開基祖以下九代的系圖等等。這種狂熱的祖國

7 語出《小屋大車集》。葉榮鐘先生喜歡用「血」的隱喻，他也曾說過他的祖國情懷乃是「血的同盟」。

熱及去日治殖民化的現象今日看來或許恍如一夢，甚至有些異國風味，但卻是發生在台灣這塊土地上一段火辣辛刺的真實歷史經驗。閃避了這段歷史經驗，我們就辜負了這段經驗的價值。反之，我們如果能正視一九四五光復的現象，並將此現象拉回到日治時期的歷史脈絡下考察，我們似乎可以找到一條很有意思的歷史發展線索。

黃煌雄在討論蔣渭水的著作中，提到日治時期台灣社會有兩股強烈的意識：一是台灣意識，一是漢族意識或漢文化意識。[8]身為兼具蔣渭水研究的民間學者及反對黨政治人物此雙重身分，黃煌雄對這兩股意識的比重或關係自有其解讀，其解讀之得失姑且不論，但他所指出的這兩條線索確實是存在的，一般人閱讀日治時期台人著作時應該也可以得到這樣的印象。台灣意識是共同體意識，台灣居民會形成全台範圍的共同體意識是相當晚的，台灣意識就像現代民族主義的萌芽一樣，恐怕都是要在現代國家系統下，經由共同的教育、發達的印刷術、興盛的媒體諸種作用的加持，才容易茁壯。[9]在清領時期，社會互動的主軸不是台灣意識，而是規模較小的地方意識，這種區隔作用甚強的地方意識反映在不時會出現

8 黃煌雄，《蔣渭水傳：臺灣的先知先覺者》（台北：前衛出版社，1992），頁198-202。

9 安德森《想像的共同體》有此說法。班納迪克．安德森（Benedict Richard O'Gorman Anderson）著；吳叡人譯，《想像的共同體：民族主義的起源與散布》（台北：時報文化公司，2010），頁45-91。

的分類械鬥之現象上，閩客之間、漳泉之間的集體械鬥是台灣移民社會每隔數年就會發生一次的戲碼。據統計，從乾隆三十三年的一七六八年到咸豐十年（一八六〇）的九十三年間，幾乎每隔三年即有一次頗具規模的分類械鬥。分類械鬥的「分類」不是以宗教、文化或現代意義的國族為標準，而是更小的地方單位為依據。「分類械鬥」可以作為台灣共同體意識的量表，此現象流行的時候，台灣社會基本上沒有浮現明顯的台灣意識，台灣居民是在一個只具個人共感性的移民社群之氛圍下凝聚在一起的。從一八六〇年以後，台灣社會再也沒有出現過較顯著的分類械鬥現象，我們由此可以合理的認定：台灣意識在此一時期已隱然成形，等到新興的資本主義強國日本統治台灣後，台人的台灣共同體意識才更加強化。

如果共同體的台灣意識要遲至十九世紀下半葉才出現，漢文化意識則早至鄭成功入台時即已有了，「反清復明」始終是潛伏在台灣漢人社會的激情因素。但就像台灣意識因為日本的統治而強化，漢文化意識也因為日本的統治而強化，但在統治者軍隊與經濟雙管齊下的壓迫下，一種自外於日本的我族意識很難光明正大地發展。此時，漢文化意識很快也很容易就取代它的位置，從語言、漢字、詩社、祖先崇拜，這些都被視為是漢文化的展現，但同時也是台灣意識的表徵。甚至連辮子這樣的裝飾——只因它可以區別台、日人民的外徵，所以連大詩人洪棄生都將它提升到漢文化之象徵的地位。辮子這種原本來自滿人的身體樣式，居然在日治時期會被轉化為漢文化的象徵[10]，這顯然是較特殊的例子，是兩害相權取其輕的選擇。正常的情況下，台民的要求當已超出「滿清」此一統治的王朝。吳濁流提到日治時期台灣人的鄉土愛、祖國愛，這種祖國愛所愛者絕不是清朝，但也很難有一特定的對象，他們只相信「漢民族一定會復興起來建設自己的國家。老人們即使在夢中也堅信總有一天漢軍會來解救台灣的。台灣人的心底，存在著『漢』這個美麗而又偉大的祖國。」[11]漢文化的生活樣式既是我族自我凝聚，也是區別他我最方便的參照點。

如果台灣意識的本質是個政治概念，漢文化意識是個文化的概念，在日治時期，這兩種概念是合在一起的。一九四五年台灣光復本來是兩種意識調適上遂發展的一個好契機。依林茂生當時的證詞，台灣從明鄭的一六六一年到日本殖民帝國崩潰的一九四五年間，三百年來的台灣人民過的不是一個自然人該擁有的真社會、

10 張深切描述他年少時剪髮的經驗如下：「在要剃髮的當兒，我們一家都哭了。跪在祖先神位前痛哭流涕，懺悔子孫不肖，未能盡節，今日剃頭受日本教育，權做日本國民，但願將來逐出了日本鬼子，再留髮以報祖國之靈。跪拜後，仍跪著候剪，母親不忍下手，還是父親比較勇敢，橫著心腸，咬牙切

真國家的生活，日本與滿清的統治都輕重不等地偏離了台灣人民發展的軌道。一九四五年日本投降，當時的中國早已擺脫了二層外族（滿清統治與日帝入侵）的壓迫，是個主權獨立的國家，光復後的台灣人民因加入同族的國家，成了中國的國民，所以它同時解決三、四百年來歷史發展的矛盾，台灣居民的文化認同與國家認同的糾葛在光復的剎那一併解消。台灣的地位就像中國的行省一樣，台灣文化將會被置放在一個既熟悉而又陌生的中國文化的脈絡下平行發展。不管我們現在喜不喜歡台灣光復，甚至「光復」一詞，但當時台人擁戴光復，因為光復解決了台人三百多年來歷史發展的矛盾，這是事實，林茂生說的人的本質之恢復的「自然人」概念是此背景下的產物。

然而，歷史並沒有這麼平順地進行，它走得更曲折也更豐富，歷史的理性似乎無意讓台灣以從屬政治中國的、直接性的嫡傳漢文化之面貌出現。戰後因為紅白色祖國公開撕裂，台灣主政者施政不當，兩年後終於爆發早晚會發生的二二八事變，台灣意識與漢文化意識這兩種意識的發展趨向遂引致了激烈的轉折。彭明敏描述他的議員父親彭清靠在二二八事變時因擔任談判代表，竟受盡官方凌辱，返

齒，抓起我的辮子，使勁地付之并州一剪，我感覺腦袋一輕，知道髮已離頭，哇地一聲哭了，如喪考妣地哭得很慘。」參見：陳芳明等編，《張深切全集》（台北：文經社，1998）卷1，頁84。

11 吳濁流，《無花果》（台北：草根出版社，2001），頁7。

家後傷心地說道：為身上的華人血統感到可恥，希望子孫與外國人通婚，直到後代再也不能宣稱自己是華人[12]。彭清靠的話語很有代表性，血統是與生俱來的標記，對常民百姓而言，它最容易構成認同的地標。當受辱者連這種最深層的記號都想抹殺時，顯示當時有些台灣人的認同發生了急遽的改變，「中國」已被視為是台灣意識的對立面。

從一九四五年到一九四七年，台灣人的精神構造受到創傷，留下了難以抹平的疤痕。兩年後的年底，國府宣布遷都台北，接著而來的，國府以中國格局的政府統治台灣，爾後戒嚴令、動員臨時戡亂條款等違章建築紛紛建立在台灣島嶼上。台灣意識作為一種對立於中國意識的存在似乎更加明顯，此時它是在雙重結構的中華霸權的格局下成長的，除了上述一九四九後國府帶來的中華民國格局的國家結構與現實台灣的落差所衍生的不平等結構之外，另一層構造是全體台灣人民對「中華人民共和國」想要解放台灣的恐懼感。這兩層結構是有歷史根據的，在第一層結構中，台灣居民喪失了許多憲法賦予的權利，在政治參與與參與公務機構方面也明顯的受到了歧視。在第二層結構方面，不管原來的中共之社會主義理想

12 彭明敏，《自由的滋味：彭明敏回憶錄》（台北：彭明敏文教基金會，1995），頁77。

有多崇高，由於它從建國一開始即走史達林式的專制社會主義，傳統文化常被當成惡行重大的罪犯受到嚴厲的鞭打，它在未掌權時承諾的民主、開放全不見了，台人之恐懼是有道理的。在兩種中國恐懼的挾持下，台灣意識似乎逐漸取得一種新的內容。台灣意識原來在異族（日本）的外來政權統治中成形，現在又在同族的外來政權統治中似乎找到「獨立自主」的目標。

三、國家感的到來

從一九四七年到一九四九年，台灣意識和漢文化意識的發展脫鉤了。由於政治的慘酷本質，何況又是那麼活生生的現實之生

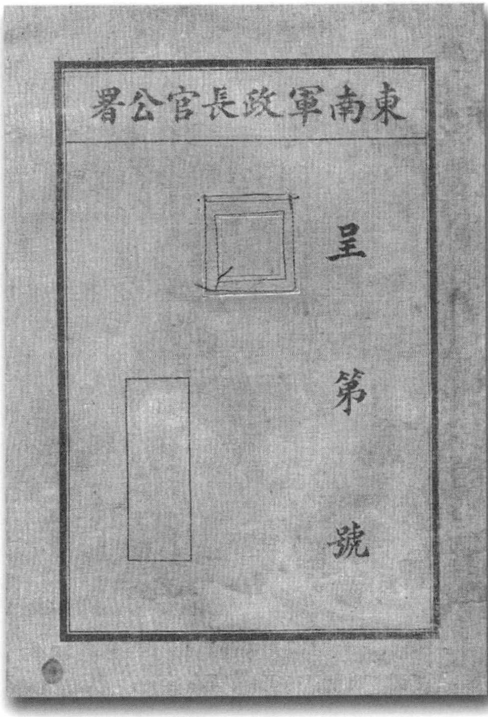

1949國府撤退來台時，在東南沿海仍占有不少島嶼，國府特設「東南軍政長官公署」經營之，照片是公署的公文夾。

存問題，一種相對於中國意識的台灣意識日益具體化，這條線索的影響是很巨大的。

但如果我們轉從漢文化發展的角度來看，一九四九的發展另有線索，而這樣的意義是順著台灣歷史的內部要求而來的。「漢人需要有代表漢人精神的文化」，也就是傳統所說的一種文化意義的「夷夏之辨」早在明鄭時期即深植於台灣社會。日治時期，因日人明顯的殖民帝國主義及民族歧視的雙重壓迫，台人對漢文化的渴求更加明顯。日人雖然在廣義的意義上，也和漢人分享了漢人的文化傳統，這種分享多少有利於它的統治，我們從日人統治集團善於參與台人的文化活動如詩會、祭孔等等，可見一斑。然而，根本上說來，由於民族與經濟雙重矛盾的根本性質使然，台灣社會的實質內涵與統治台灣的政治形式是不可能不衝突的，此林茂生之所以有「假社會」之說。

如果就學術基礎的文化風土考量，日治時期的統治與台灣社會有根本的矛盾的話，在作為台灣現代學術源頭的學術機制方面，日治時期的格局也有相當大的限制。日人治台，為了帝國的永久領土計，其統治可謂相當用心。由於知識是推動現代化的動力，資本主義體系得以不斷運轉的推手，所以日人在台灣教育上作了許多投資。在基礎教育方面，日治時期台人的識字率明顯的高出周邊許多國家一大截。在高等教育方面，日人設立台北帝國大學也頗用心。台北帝大的硬體條件無愧於現代的大學之名。然而，我們如從人文學科，尤其是最能體現漢人精神的漢學之角度而言，台北帝大明顯地不足。日治時期台北帝大文政學部的規模並不大，我們如以昭和十五年（一九四〇）為例，其文政學部不過二十五個講座，其中的老師大部分為日人，學生中日本人占八十二位，台人五位。到一九四四年，也就是光復前夕，文政學部有日本人一六六位，台人三位。日台師生的人數不多，不多的總數裡日台籍學生的比例又相去懸殊，而且他們的專長和漢學相關者比例極少。至於非帝大系統的職技學校如台南高等工業學校（成大前身）或台灣總督府農林專門學校（興大前身），其人文領域的研究基本上可以忽略。台灣光復後，傅斯年主政台大時，希望大量培植台灣人才，但當時台大文學院出身台北帝大的台籍教師不過吳守禮、黃得時、楊雲萍等數人而已，不是傅斯年有意排斥，而是當時台大文學院承襲下來的學術規模即是如此。

本文無意貶抑日人的教育建設之成績，日治時期的教育對台灣的現代化無疑起了很大的作用，即使就現代學術機制的人文學科研究而言，我們也不能不承認台北帝大在硬體方面奠立了很好的基礎。在人文學科的一些領域如語言學、人類學等等，台北帝大也有很大的貢獻。但因為日本在台的教育文化政策乃帝國殖民主義之本質使然，人文學科（尤其是和中國文化相關的學科）基本上是不可能發展得太好的。相對之下，一九四九後的國府教育文化政策，雖然也有專制對學術自由的壓迫，也有選擇性的壓抑本土文化的政策，但在這些負面的陰影外，我們不該忽略更深層的一

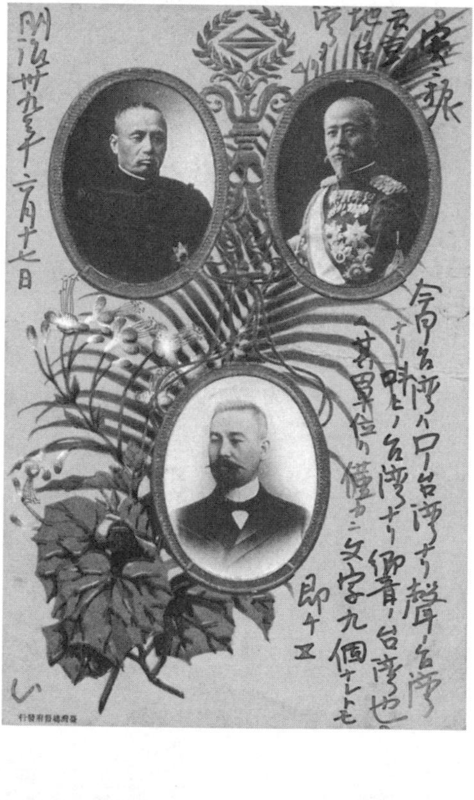

這是明治三十九年（1906）6月17日發行的台灣總督府始政十一年紀念明信片。右上為第四任總督兒玉源太郎，左上為當年新任（第五任）總督佐久間左馬太，下方為當時的民政長官後藤新平。後藤新平肖像可與總督並列，可見其時聲望甚隆，兒玉一後藤時期是日治台灣的關鍵時期，爾後台灣即變成日本的重要資產。

面，那面來自大量人才湧入、學術規模擴充、學術傳承確立的因素。直至今日，台灣的文化領土已擴展到事先任何人都難以想像的境地，台灣的人文力量也遠遠穿透五〇年代國府所設限的白色圈子。一九四九帶來的文化是同族文化，這是基本面，即使當初逃難政權的用心不在此，但後來的發展確是沿著此線索成長的結果。

隨著歷史縱深的延長，筆者相信一九四九在文化與政治層面上正負面歷史影響的比重會迅速改變。我們有充分的理由認為：一九四九此象徵年分引進的中國格局，不能只從政治權力的角度著眼，而當放在台灣四百年文化史的發展上，判斷此格局給台灣帶來了什麼樣的機會。筆者認為正是在「納中國於台灣」此一格局下，台灣的人文學術環境才有機會發生急遽的變化。細部分析，關鍵的因素有底下三個：首先，是文化財的因素。台灣此時湧進全世界歷史及台灣四百年史上都難得一見的珍貴文化財，故宮博物院、中研院，史語所、中央圖書館的圖書、字畫、器物等等，放在世界上的那一間博物館評比，這些文物無疑都是頂級的。它們不但品質極高，量也極大。這些文物的功能絕不只是典藏品、觀光物，也不會只是一黨一政權所需要的正統性象徵，最重要的，它讓台灣取得代表漢文化極佳的優勢位置，而且為爾後的文化發展提供了連綿不絕的文化創造力。

其次，是人才的因素。在一九四九此象徵年分，許多學人或重要文化人，他們或因國府的搶救學人計畫或因各種公私因素，輾轉來台。他們在傳統漢文化的傳播上，扎根生根，這一批人在宗教、哲學、文學、美術、書法諸方面，都帶來了台灣四百年史上未曾有的新局面。我們很難想像：台灣書法抽掉于右任、繪畫抽掉張大千、佛學抽掉印順、哲學抽掉牟宗三、史學抽掉錢穆、考古學抽掉李濟……這些人的作用被抽掉了，台灣會是個什麼面貌？我們也很難想像：如果沒有大批的公教人員適時填補教育區域內的職缺，台灣的中堅之文史隊伍是如何組成的。

第三，是學術機構的大量化。台灣在光復前的人文學術規模並不大，人文研究只能是台灣整體發展中的邊際性因素，但一九四九年因為帶來「中國」的想像之格局，台灣社會不得不在短時間內擴充學術規模，加速成長。在很短的時間內，台灣社會憑空增添了中共眼中的許多偽文化機構，這些機構除了承載那些重要文化財的故宮博物院、中研院、中央圖書館（後來的國家圖書館）、國史館、歷史博物館、黨史會等之外，許多大陸的名校紛紛在台復校。從五〇年代國府基本安定下來後，清華、交通、政治、中央、輔仁、東吳、東海（大陸各基督教大學聯合創立）等大學名號紛紛在台復出，在縱的繼承中更有橫的移植，後來復校者還有中山、暨南等學校先後跟進。這些復校機構的作用是結構性的，深根性的，它們進出的學生年接一年，校風代代相續，經年累月下來，這些復校大學的學生隱然成為台灣社會的中堅力量，其校園文化也已化成台灣社會內在精神極核心的一環。

由於在人員、文物、機構三方面，一九四九都提供了台灣有史以來未曾有的機會，因此在不同的歷史階段，台灣社會遂都有人提出設置所謂「漢學中心」之類的提法。這類的提法一方面當然顯示台人仍有嚴重的信心危機，所以需要有自我振奮的口號。但這種呼籲所以沒有讓人覺得太臉紅，乃因當時的台灣在傳播傳統文化方面，確實具有鮮明的形象，隊伍也夠大。尤其放在「現實中國背離傳統中國文化」這樣的背景下，台灣在全體華人地區遂居有特殊的地位。我們可以很放心地說：在中共改革開放前，台灣在支援世界各國的漢學研究以及輔助世界各地華僑的華文教育方面，其奉獻不是其他華人社會能比得上的。一個流亡在孤島的政權在喘氣粗定之際，竟能用隻手支撐無人在意的文化復興事業，這不能不說是意義深遠的豪舉。一九八一年，「漢學中心」終得在國家圖書館成立，功能奇佳，此一設置極具象徵意義。

一九四九來自大陸的人力及文化財的力量透過了中華民國的體制，它聚集為一股巨大的動能。然而，這股動能所以動得起來，應該還有別的因素加進來。筆者認為：最主要的因素是「國家」的想像力量。在世俗化的社會中，國家的性格通常也會世俗化，它或帶著華爾街市場經紀人的氣味，或帶著操盤的期貨商人的訊息，內閣會議無異大公司的董監事會議。然而，六十年來的台灣居民之國家想像恰好不是這種類型，不管是在朝在野，本土的或所謂外來政權之政治人物，他們的國家觀都帶有特殊的歷史感及文化使命。別人暫且不說，即就一九四九爭議中的核心人物蔣中正以及二十年來台灣政治漩渦核心的李登輝來說，他們兩人儘管所認同的國家不相同，但對國家的神聖性都是有信仰的，而且這種信仰是有時代背景的。

一九四九的「納中國於台灣」常被視為近代台灣痛苦的主要源頭，從中央民意代表問題、高考省籍問題到聯合國代表權問題，甚至「廢省」預設的政治組織架床疊屋的問題，無一不與這種失衡的國家圖像有關。但筆者認為如果將此因素拉長時間來看，正負面的作用可能和我們乍看的情形完全對反。因為正是在此機緣下，「國家」的概念才會進入台灣的歷史行程當中，簡言之，隨著中華民國－台灣的一體化，台灣的實質內涵不能不帶有國家的性格。即使反對人物討厭「中華民國」一名，但他們的反對仍是在「國家」概念的設想下所作的「彼可取而代之也」的代換關係，國家的實質並沒有改變。而在戰後長期的危機社會之氛圍中，「國家」的概念總是帶有「奇理斯瑪」（charisma）的恩典性質，或耶律亞德所說的「聖顯」（hierophany）性質，這種帶著聖顯、聖寵氛圍的國家觀在凝造共同體意識的過程中扮演很重要的角色，雖然結果不一定都是可欲的，正反面的例子都有，但共同體的凝聚效果是一致的。

筆者相信東亞地區人民在現代化的過程中，都有打造近代「國家」的歷程，這種打造的過程通常伴隨歷史的屈辱、人民的流離、偉大祖先的追憶以及美好未來的想像而來。中國在打造現代化國家的歷程中，發生過其他地區較少見的全盤反傳統之運動。然而，放在近現代台灣史的脈絡來看，「反國家」或「反文化傳統」的聲調是次要的，主軸還是在追求一種統合全民意志的共同體意識，此共同體意識名稱雖以「中華民國」為最大宗，但異議的聲音並非沒有。但不管名稱如何，我仍認為：在「中華民國」、「中華—台灣民主國」、「台灣共和國」這些紛紜的名稱背後，我們看到一條貫穿其異的紅線，此即它們都顯現了一種對「國家」的追求，「國家」被設想為實體化的統合全體意志的超機制。國號之爭很重要，但兩造爭鋒背後的國家意識更形重要。對國家意識向來即稀薄的島嶼人民來說，因一九四九帶來「中華民國」的國家之實在感、再加上「中華民國與台灣」合一的演變過程，他們終於找到統合意志的管道。

中華民國—台灣一體化使得台灣的人文研究第一次明顯地有主體性的地位，這個主體性自然是在台灣成長起來的，但它卻是由一九四九的三大因素灌溉進來的，爾後又在與「中華人民共和國」的紛爭中提供了一種另類華文文化的對照組。有意義的否定是精神發展的最大動力，台灣在與共產中國對照與對抗中顯現了抗衡的高度，在內部的統獨之爭中因國家形態意念之分裂而鞏固了「國家作為共同意志之載體」的理念。台灣文化意識的發展在荷屬、明鄭、清領或日治時期基本上都是受限的，只有在一九四九年之後，它才因與「中華民國」一體化，人文知識分子社群大幅擴大，人文知識取得相應於台灣歷史發展精神的外型。

四、一體而化的嫁接工程

台灣自有文獻記載以來，除了少數原住民之外，其居民就是由移民、遺民、流民所組成。在共同體的台灣意識沒有形成之前，台灣的精神內涵基本上就體現於移民、遺民、流民分別構成的地方性鄉村共同體之內。由於這些來台的移民、遺民、流民的最大宗是閩粵漢人，很自然地，漢文化是彼時台灣移民社會的共相。到了清領晚期，全島性的台灣意識形成。到了日治時期，由於有了統治階層的日本帝國的對己存在，台灣意識與漢文化意識終於明確地主體化，它們成了「為己（for-itself）意識」，兩者或分或合都要尋找出路。

兩種意識所以要尋找出路，乃因在日治時期不太可能有真正的出路[13]，林茂生說：日治時期的台人是活在一種非國家、非社會也非自然人的存在狀態，他這個

13 如果戰前的日本統治者不採取帝國殖民主義，乃依公民社會的民主法則治理，情況或許會不一樣，但這樣的前提不容易成立。

觀察是很深刻的。因為國家代表台灣共同體意識發展的極致，社會則是漢人生活與文化意識的總稱。人除了需要主觀的精神生活外，也需要客觀精神的導向作用，這才自然，才是人的真正生活。順著他的語言脈絡繼續考察，我們有理由認為：台灣作為移民社會，它的精神內容長期處在漢人日常生活意識的狀態，到了十九世紀下半葉後，它才經由反思成為對己存在的總體意識。隨著歷史的進展，漢文化意識的內容逐漸由傳統型態的儒家—漢人文化類型[14]擴充到引進新知識與新的社會生活模式，日人治台時期，不經意的因應了台人一部分的內在之知識需求，如台北帝大引進新知識以及有利於統治效率的「文明化」措施，但在基本的結構上卻是遏阻台灣內在精神的發展。

「一九四九年中華民國政府遷台」此一事件沒有必然要發生的理由，如果一些歷史條件改變了，它不一定會發生在台灣頭上，但歷史就這樣發生了。如果從左派國族主義的觀點來看，一九四九是歷史演變中的逆流，國族創傷尚未癒合的象徵。從台灣民族主義的觀點來看，一九四九可視為是外在於台灣的外部侵入事件。圍繞著一九四九的許多黑暗面，我們用「令人髮指」、「罄竹難書」這類的

14 林獻堂回憶他兒時的讀書情景道：「總角入塾時，所學皆希聖。」（〈步鶴亭社長見示原韻〉）晚年避難日本時，仍然吟道：「儒生憂道不憂貧，異國江山暫養真。松柏經霜看晚節，依然不變歲寒身。」（〈次則生自賦原韻〉）林獻堂的讀書內容及處世之風大概可以反映日治時期前台灣士族的知識內涵。

形容詞加以表述，也不過分。但我們如果將問題的焦點轉向台人漢文化意識發展的角度來看，我們不能不注意一九四九的豐富內涵，它使得「台灣漢文化意識」第一次有了完整的構造，它由原初的區域性文化類型擴充到傳統中國格局的儒家—漢文化意識類型，再由傳統社會的儒家—漢文化類型擴充到現代意義的漢華人文知識類型。一九四九就歷史事件的面貌考察，它是外在於台灣的否定力量，但就事件的內部精神考量，這種否定卻是台灣意識要彰顯其本質性的曲折表現。圍繞著一九四九或承續著一九四九而來的大大小小的衝突雖各有事件的性質，但它們匯合起來的意義可以說都是在為催生一種比傳統中國還中國、比傳統台灣還台灣，而又不是傳統形式的中國或台灣的新漢

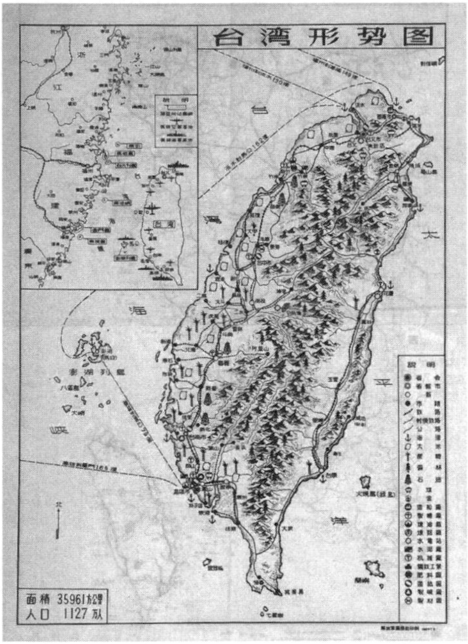

從左統的立場來看，台灣是國族創傷尚未癒合的象徵。此地圖為中共解放軍畫報社於1962年刊行的台灣形勢圖，圖中刊出「蔣匪所占島嶼」、「美蔣空軍基地」云云。

華文化而努力。六十年來的台灣社會每隔一陣子在不同領域即會有「本土」、「鄉土」、「主體性」之類的爭辯，統獨之爭也始終未曾停息。我們從凝聚客觀精神的共同意識考量，這樣的爭辯倒不是壞事，它有極重要的意義。關鍵不在爭辯內容的是非對錯，而是爭辯的前提已預設了一個總體性的台灣文化的前提。

由於有了一九四九的大分裂以及當時特殊的歷史條件，才有今日台灣的人文研究環境。如果一九四九大分裂的情勢改變了，兩岸對峙的正負面效果也改變了，台灣的人文環境也不太可能不變。但再怎麼改變，我們有理由要求它都當建立在一九四九以後一甲子所展現的文化基礎上的轉化，建立在一種開放、民主、文化傳統的基礎上，尊重文化自主發展的特性，正視此種人文知識是舊台灣意識在新世紀的新發展。一種有意義的文化類型形成不易，台灣的人文知識形態是順著清領、日治時期的脈動而來的，這種型態的人文意識歷史縱深很深，型態很特別，它具有返本開新的特性，也帶有日荷海洋文化與伴隨四九年大分裂而來的顯性大陸文化此雙源流的東亞性格，它可視為大華人文化圈或東亞文化圈中的一種另類顯現。

孩子說謊有各種不同動機
其中一個是推託責任

請問醫生

我的孩子有問題嗎？

精神科醫生教你聽懂孩子的內心話

劉貞柏 著

聯經出版事業公司

東亞視座下的台灣人文科學[1]

一

經過一年半的準備，國科會成立五十二年來第一次推動的人文科學展覽活動：「百年人文傳承大展」即將開幕，兩本圖錄也即將印出，一切已就緒了，我卻近鄉情怯，心裡不太踏實。不踏實一半源於對實務的陌生，不知道事情會怎麼演變；一半也緣於對整個展覽的定位仍覺不足，總覺得還是缺少了什麼東西。更關鍵性的原因當是心理的壓力，這檔展覽不但是國科會人文處有史以來第一次的大展，由於國科會即將改為科技部，此檔展覽很可能也是國科會人文處最後的一檔

1 本文初稿刊於《人文與社會科學簡訊》13卷，1期（2011年12月）。

展覽，所以也極有可能是半世紀來人文處推動的唯一一檔展覽。參與這檔展覽的學門不少，人文處人文領域的七個學門全部參與在內，連宗教領域的學者也以準學門的身分共襄盛舉。人文八檔，濟濟一堂，參與者多是相識多年的學界舊友，主事者很難不會感受到一種特殊氛圍的壓力。

這檔「百年人文傳承大展」希望以文物來呈現百年來中華民國—台灣的人文發展，筆者所以用「中華民國—台灣」這樣的記號，乃因「中華民國」與「台灣」在近代史上的行程中，關係複雜。中華民國成立時，並不包括台灣，等到台灣融入中華民國時，很快地，竟演變成中華民國融入台灣。「中華民國—台灣」的概念之構造形式有些海德格語言的樣貌，不怎麼中文，但這種異國風味的連結方式似乎比較能描述百年來台灣的人文研究之走向。我們這檔展覽有個明確的歷史圖像，此即中日雙源頭—雙源匯流—在地轉化的三階段發展。此三階段以一九一一、一九四九、一九八七三條年線當作功能性的區隔。宏觀的歷史敘述難免籠統，一條中華民國—台灣百年發展的主鋼索，加上三條象徵意義的歷史斷代切線，無疑是高度詮釋下的圖像。不同的詮釋觀點一定有的，不足之處也一定有的，我的不安一半也因此緣故。

「一九一一」此數字源自辛亥革命，「一九四九」源自國府遷台，「一九八七」源自台灣解嚴，這三個數字明顯的帶有濃厚的政治內涵。人文學門的朋友共同推動這檔展覽時，大家其實有很明確的運作原則，此即此檔展覽是依學術邏輯展開而

近代中國的學制基本上模仿歐美教育制度而成。德國來華著名傳教士、漢學家花之安（Ernst Faber）於1873年以中文著《大德國學校論略》一書，此書對新學制的建立發揮了極大的作用。

帶有文化傳播的意圖的，我們是在台灣發聲，卻不是為任何政黨發聲。但我們之所以選擇這三條帶有政治內涵的紅線，實有所說。因為上述三條紅線其實是象徵性的，它們各象徵一個重要的學術過程。「一九一一」的意義在於新舊知識典範的轉移，如果要取更精緻的界線來論的話，也許一九〇五年的取消科舉制度更具象徵意義，因為從隋代創設科舉以來，一千三百年來的東亞知識分子受此科舉文化影響極大，科舉制度可以說是調動東亞社會運作的一項重要機制。

「一九四九」之所以重要，在於伴隨國府渡海而來者除了黨政軍的因素外，更有大規模的文化力量，此文化力量融入台灣原有的結構後，產生了有意義的學術蛻變。然而，此文化力量之南渡並非限於一九四九，也不是起於或止於一九四九，事實上，這個過程可以說從光復的剎那即已開始。至於「一九八七」此數字所以重要，乃意指戒嚴對文化的迫害業已在法的層面上解消了，但此解消並非始於蔣經國的宣布，而是長期演變的過程所致。宣布解消戒嚴與其說是台灣文化自主性的「因」，倒不如說是「果」。台灣在宣布解嚴前，已蓄積了相當大的反對運動的成績，這些成績具備了再生的能量，蔣經國也是在半被動、半主動的情況下展示這項遲來的行動的。

然而，這三條紅線雖是象徵性的，每一條象徵性的紅線都橫跨了一段時間演變的歷程，但無疑的，這三個數目字的意象最突顯，它們各有成為某一時期的象徵的標誌之理由。由於政治具有壟斷一切資源的特色，加上台灣原本處在政治過度動員的演變歷程中，所以政治事件的意象最具公共性，以這三條政治意味濃厚的紅線作為功能性的劃分，遂也有方便之處。

中華民國—台灣百年的人文發展就時間而言，並不算長，但就內涵的劇變而言，其變化之烈可能超過千年來的任一時期。即使從台灣島內的歷史衡量，它的變化幅度之大，應該也超過以往三百年的任一階段。更重要的，我們現在仍處在後解嚴的情境，戒嚴時期的歷史影響仍未消逝。甚至於拉長距離，我們事實上還可說仍處在後科舉的歷史過程中，新舊知識典範的轉移工程仍在建構。不管就歷史的回顧或就未來的展望而言，我們都需要對這段曖昧的歷史有更清晰的認識，否則，一切的規畫都不好談。

上述這三條紅線的意義當然是相互貫穿的，每條紅線雖然都可以串起一堆相關的文化內涵，像科舉—書院制度的崩潰與新式學制的興起，這樣的工程有多重要，需要多少宏觀的藍圖與細工作活，才能勉強摸個底，但顯然箇中底蘊待闡發者猶多。解嚴後的人文學術發展之複雜，恐怕也大有可觀，但不明者仍然不少。無疑的，這三個時期的每一時期的個別意義都需要放在整體的結構中才方便找到恰當的定位。這三個時期的意義是相互關聯的，但我個人傾向於以「一九四九」年作為軸心，串起兩頭。由於「一九四九」的高度政治爭議性，我的選擇顯然不符合一些朋友的期望。但排開一些語詞的糾纏，我相信彼此間的差異恐怕不是那麼大，我有所說。

二

歷史上的一九四九年注定是要被詛咒的，確實也是難以澄清的，它有複雜的歷史情結。在此年前後，小小的一個島嶼一下子湧進了五、六十萬的軍隊，以及大約相等人數的公教人員與外省百姓。對於一個剛從大戰劫難中躲過，又剛從二二八屠殺中走過的島嶼子民來說，這百萬人口的負擔不可謂不重。這群來自陌生祖國的殘兵敗將、流離百姓到底能代表什麼？它顯然是國共內戰下的產物，是外加於當時台灣社會的事件，台灣社會在未被徵詢的情況下，被迫承擔這件歷史的重擔。一九四九的事件何所為而來？它代表什麼意義？一切的問題都是從這樣的疑問開始展開的。

疑問是許多尋常百姓的疑問，但對充滿責任感的國族論述者而言，一九四九的意義卻是再明確不過了，至少曾經是很明確的。對左派的中華民族主義者來說，一九四九是革命勝利的象徵年分，一九四九後的台灣則是革命尚未徹底成功的殘餘物。按馬克斯主義史家的定義，一九四九革命是無產階級移動帝國主義、封建主義、資本主義這三座大山的大事業。在一九四九新中國成立的國慶後不久，胡風寫下了〈時間開始了〉這首氣勢澎湃的抒情史詩，這首史詩描述另一位「詩人」的偉大貢獻道：「中國人民底詩人毛澤東／在中國新生的時間大門上面／寫下了／……『一切願意新生的／到這裡來罷／最美好最純潔的希望／在等待著你！』……今天／在你新生的這神聖的時間／全地球都在向你敬禮／全宇宙都在向你祝賀。」〈時間開始了〉與其說是政治詩，不如說是宗教的啟示錄，毛澤東以「世界精神」的救世主姿態降臨中國，他所領導的中國革命是人類有史以來最偉大革命中的一環，它不只帶來中國的解放，它還代表一種人類此特殊種屬的救贖，所以全宇宙都要來祝賀。時間是一切經驗成立的先決條件，一九四九此時間基準點之前的經驗都需要重估，被一九四九年革命此神聖事件通過的地區才能聖化。一九四九之後的台灣乃是國民黨反動勢力的盤結，解放台灣因此有它的神聖意義。

對台灣民族主義者來說，一九四九則是台灣人民再度遭受外來政權壓迫的一段傷心歲月之疤記。台灣民族主義者對台灣的詮釋基本上是從一種絕對的台灣內部觀點所呈現的史觀，台灣人民渡過黑水溝，經歷重重困難，來到台灣。此一經歷被視為揮別苦難的中國，追求一個新的自由樂土的偉大冒險。在偉大的開拓過程中，台灣人民不斷受到外來者的統治，他們的主體性無法彰顯。在這種認知下，一九四九年國府撤退來台，它實行戒嚴，頒布〈動員戡亂時期臨時條款〉，剝奪憲法賦予人民的諸多權利，此事件被定位為外來者的壓迫事件。國民黨政府與戰前日本的統治者沒有太大的差異，差別只在日治是異族殖民，而國府統治是同族殖民。在史明的《台灣人四百年史》一書中，史明即指出一九四九年國府撤退來台之後，台灣受到「殖民地的、封建的、商品的」三重的剝削。李登輝在〈台灣人的悲哀〉此一轟動一時的文章中更明確的將國民黨定位為「外來政權」，而他像摩西，要帶台灣人「出埃及」。李登輝的說法所以會在台灣不同的族群之間引發正負兩極的熱烈回應，我們不難想像而知。

上述的兩個史觀都足以成說，但我相信如果換另一種角度，也就是換另一種歷史縱深更長的角度，同時也是社會縱深更廣的角度來看的話，一九四九也許有另外的一副面貌。就歷史縱深的角度而言，我不免好奇：一個以中國格局自居的政權流亡到台灣來，它至少在行政結構上曾經維持了一個國家的局面，而且幾乎有三十年的時間，得到國際的承認，承認它是代表中國的政權。在後三十年，它雖已失去國際的支持，但仍獲得少數國家的認可。而且至少作為一個等同國家的政治實體這樣的身分總是存在的，再怎樣的強權政治當道，我們也想不出有哪一個國家想將台灣的政治實體之現實否認掉的。這個長達一甲子的國家意識是台灣史上的新經驗，明鄭與「台灣民主國」都不曾提供這樣獨特的實驗。一個長時期在國際上與中共糾纏主權問題，也長時間在內部與本土勢力爭相定義國家屬性的意識，它難道只是負面的燙手山芋嗎？這樣的國家意識與台灣的形象一樣難分，這樣長期糾纏的「國體意識」出現在台灣的歷史舞台上，兩者在國際政治實務的操作上幾乎可以說是同卵孿生兒，它到底發揮了什麼作用？

另一個和一九四九年相關聯的社會縱深議題，乃是一九四九年的內容除了殘兵敗將、遺老遺少以及一連串的白色恐怖政治之措施外，難道其他隨國府來台的人員或物力都沒有扮演過重要的角色嗎？它們的意義和國府領導者的企盼是否一致？在來台的六十萬外省居民當中，他們到底給台灣灌進了什麼樣的內容？我們除了可以從經濟或社會的角度衡量之外，是否還可發現更結構性的底層因素？如果這一群文化素質上算是相當不錯的人員，再加上中國格局下的一些重要文教機構，再加上史無前例的大博物館、大圖書館同時湧進一個地區，這個地區基本上又有一甲子安定歲月提供了其文化滋長茁壯的土壤，那麼其成效該如何計算呢？它們有沒有可能發展出一九四九事件雙方肇事者——國共兩黨及台灣人民事先都無法想像得到的豐碩成果呢？

歷史事件的歷史效應和當時主政者的意圖可能是不相干的，黑格爾和王船山都提過意圖與結果不一致的歷史弔詭現象，「天假其私以濟其公」的命題確實可以用來解大歷史變革中一些梟雄政客所起的作用。通常這種詭譎的歷史效應要放在較長歷史縱深之後，其結構才可以顯現出來。一九四九的象徵太複雜，「只爭朝夕」是不夠的，拉長時間，我們如從台灣史上「前一九四九」與一九四九兩波移民的共同屬性，亦即漢民族的觀點著眼，也許可以拉出另一條線索。

我將一九四九年的政治難民移民潮放在漢民族南移的論述架構下，並不是什麼新穎的看法，毋寧相反，此說法應當是談論中國文化史的一種很流行的論述，這種說法大概可以稱為中國文化南移說。錢穆、內藤湖南等不少中國史學泰斗皆有此說法，在這種論述結構中，永嘉（三一一年）南移、靖康之亂南宋康王（宋高宗）渡江常被視為是具有劃時代意義的代表性事件。漢民族南移的趨勢始終是存在的，永嘉之亂與靖康之亂的規模是否一定比其他時期

內藤虎（湖南）是日本中國學京都學派的巨擘，他提出的唐宋變革說影響很深遠。此匾上款被挖空，後經重裱而成。

的移民數量來得大，事涉專業，個人毫無資格妄讚一辭。但這兩個年分所以特別突顯，我相信和代表政權正統的南移以及對後世的影響有關。永嘉與靖康之後的中原政權南渡，應該是對南方的開發起了很大的作用。

近代中國發生這種正統政權遷移而又帶動移民潮的事件者大概有兩次，一次是一九三七年國府對日抗戰之西移與南遷，一次是一九四九年國府內戰敗北，渡海南移。馮友蘭於抗戰勝利後，寫下著名的〈國立西南大學聯合紀念碑〉，碑文中提到國史上有四次大南渡：「晉人南渡，一也；宋人南渡，二也；明人南渡，三也；吾人（按：抗戰時期之中國百姓）為第四次之南渡。」抗戰確實是中國史上少數偉大的史詩，其整體規模之大，人民遷移之廣，歷史影響之遠，很少歷史事件可以比擬。尤其西遷與南渡後還能因勝利而北返，馮友蘭更是譽揚不已。但如從漢民族之移民史觀點考量，我個人認為抗戰西遷的影響恐怕比不上十二年後的渡海入台。抗戰時期，中國居民、文物、機構的西遷雖然浩浩蕩蕩，它們合構成一篇壯闊的史詩。但就時間而言，基本上仍是暫時性的，抗戰一勝利，就復員且復原了。

渡海事件不一樣，論格局：流離之廣、死亡人數之多、國際局勢之複雜，恐與抗戰遷移事件不相上下。國共雙方在三大戰役中動員的兵力之多與死亡者之眾，不要說放在抗戰的格局下衡量，即使放在二次大戰的整體戰場的觀點下定位，都是名列前茅的。但論遷移的時間之久及文化變遷的意義之深，渡海事件的影響應當會更深遠。因為經過一甲子的沉澱醞釀，渡海事件的因素和台灣原有的因素匯合涵化，它已相當合理的結構化了。一九四九年是重層疊密的象徵年分，以災難的眼光視之，它確實是個政治、經濟、軍事的大災難，反對黨長期的批判是有依據的。但我相信從文化的觀點看，一九四九來台的因素是大災難中帶著天大的禮物，禍福相依，但禍福兩者不可等量同觀。因為災難是事件性的，它會逐漸淡化，有一天，在藍色與綠色小豬的包容中不會再是主要的政治議題。但一九四九的禮物是結構性的，我們很難想像抽離掉故宮博物院、國家圖書館、歷史博物館、中央研究院以後的台灣文化地理面貌；我們也很難想像抽離掉張大千、溥心畬、于右任、錢穆、牟宗三、徐復觀、李濟、梁實秋等人的影響以後的台灣文化界；我們同樣難以想像在台復校的校友對清大、交大、政大、央大、輔大、東吳等校的專情有多深。上述這些因素都曾是一九四九之前的大陸符號，有些還是現在中國的名牌之代稱，如故宮、清華。但鬧雙包又何妨，又不是不能區隔，現在大概沒有幾個人會認為它們不是台灣的因素。

如果經過一甲子的生根土著，上述這些文物、文教組織、文化巨人已是台灣內部的成分，現在是，以後也是，那麼，我們也許可以從另外一種角度界定一九四九與台灣現代人文學術的關係。如果從文化南移說的角度著眼，那麼，漢人移民台灣可以視為一個較長期進行的事件，四百年只能取其概略而已。在這種移民的過程中，當然有些重要的歷史轉折點，一六六一年的鄭氏入台或一九四五年的台灣光復自然也都是指標性的事件，但論人文加持的力道，一九四九的格局還是最大。台灣移民史是首不斷攤展潛藏內涵的集大成樂章，八音齊奏，前後迴盪，台灣史上不同階段的漢移民都是整體樂章中的不同音符。台灣包容了不同階段的苦難渡海者，包容的主體是台灣的大地與連綿不絕的大地子民，島嶼上不同階段或不同方言的居民只能有互相包容的承諾，而不具備誰包容誰的問題。

當一九四九的歷史災難隨歷史的流變而逐漸淡化、甚至可以有意義的轉化時，一九四九的文化加持力道卻因融入台灣的文化風土而隨著歷史的縱深同時土著化，土著化的結果使得我們有理由將一九四九年大陸南渡的因素轉看成台灣內部的成分，評價此渡海事件的價值高低遂可視為台灣內部的自我評鑑。我相信這種土著化的結構性因素會越來越明顯，而這種土著化在我們台灣下一步的人文學術的發展上會有越來越重要的意義。

三

一九四九年的歷史內涵很複雜，很難透明地評價，歷史敘述與歷史判斷都非我所長，外行者原本不宜介入複雜的歷史現象之解釋。但因為此檔展覽，筆者別無選擇，只能跳入漩渦。筆者反省台灣百年的人文發展所以不能不介入此一關鍵點的諸種爭議，乃因一九四九此象徵的年線具備了綰結以往的歷史發展與以後的歷史開展的樞紐。

依本檔展覽的定位，「一九四九」的意義在於雙源匯流。在台灣這塊島嶼上，東西匯合，海陸交叉，因緣聚合，多滋意外。我們常因悲劇地發生卻又喜劇地收尾，也偶因始料未及的驚惘而又收到始料未及的驚喜，我們不知不覺中竟匯聚了近代日本──近代中國的學術建制。現代學術建制是現代國家精煉其力的產物，是整體國力的展示場，台灣人民在參與現代人文學術的過程中，起初都不是主動發起的，但後來的發展卻不是被動配合的。由於這種匯流的特性，台灣人文學界遂比東亞其他地區更占有一種獨特的位置，它具有一種綜合的異質的內涵，它的殖民的現代性反而使它蓄積了更多的能量。

「一九四九」蓄積的能量在一九八七年的解嚴後，其作用應該越來越明顯。我們的展覽對一九八七的定位是在地發聲，其特色是本土化、兩岸化、國際化三化同時發展。由於之前的戒嚴體制同時壓抑了本土的論述、現實中國的論述，對歐美的吸收也有高度的選擇性，它全面性的與人文學界為敵。一旦這個高壓的機制挪開以後，可想見的，原本被壓抑的因素一定會跑出來。但除了這「三化」的顯性結構外，我們還看到一層更深隱的因素，此即一九八七年以後的人文發展，不知不覺中會呼應第一期雙源頭的作用，亦即一種可以照顧各區域特殊性的東亞論述可能會再起。

解嚴後，本土化、兩岸化、國際化浩浩同流，在此巨流河中，「本土」、「兩岸」、「國際」的內涵可能需要慢慢的重新定義。我個人傾向在未來的歲月中，中文很可能會變為更重要的國際語言，華人的人文傳統很可能會被賦予體現「中國興起」或「東亞興起」的詮釋功能。這一波以「中國」為中心的秩序重組，可說再度回應了十九世紀末至二戰結束前日本所扮演的角色。京都學派學者參與在內的「近代超克論」深沉的反映了東亞在近代世界史流程中不甘於被定義，而思求有以共構秩序的渴望，我相信台灣的人文學者有機會重演七十年前扶桑學者搬演的戲碼，但也有機會有意義地超克之。因為我們的歷史積澱具有強烈的東亞性格，台灣的本土化的內涵同時也就帶有東亞化與國際化的因素。從深層的結構來看，台灣百年人文研究的歷程不妨視為東亞因素在此島嶼的整編醞釀之歷程。

我們的展覽會出一套圖錄，一冊為文集，一冊為展覽作品集，這兩本圖錄是人文處推動的第一本展覽圖錄，很可能也是最後一本。我們的圖錄內容和筆者設想的思想藍圖不完全相同，因為每個學門各有關懷，入手各異。所以即使在極相近的大架構下，仍會有相去懸殊的詮釋。我很感謝國科會人文學門這些朋友的幫忙，和他們相處真是愉快。這些朋友巧思慧解，各具手眼，竟能於窘迫的條件下，從容翦取百年流光的吉光片羽，拼成一段段燦爛動人的歷史錦繪。本圖錄的原始目的是要獻給台灣社會的，但個人認為如保留下來作為一段大家共同記憶的剪影，也非常說得過去。

尚未謝幕的謝幕語[1]

「中華民國百年人文傳承大展」台中場與台南場先後閉幕，橫跨民國一百年與一百零一年的年度盛事也至此告一段落。人在海外，未能分享這兩檔文化饗宴，不免惆悵。回想這一年多來，學界朋友的共襄盛舉，北、中、南三場承辦人員的辛勞，又不能不盈滿感激之情。

百年人文學術的業績本來就存在的，存在於這一百年每一時段所累積而成的總體成果裡。所有捲進此次大展的學界朋友都是在這個大的歷史階段裡成長的，都受惠於這個人文傳統，也都參與了這段歷史在晚近時期的形塑歷程。但參與其中不

1 本文初稿〈謝幕語〉，刊於《人文與社會科學簡訊》13卷，3期（2012年6月）。

見得能了解其中的涵義，在即難思，思即不在，結構無形中框架了我們反思的界限。我們對自己學門的成長過程，所知道的其實很有限。現在由於有了「百年」這個數字加持的機緣，我們才有機會可以堂而皇之、從容不迫地作此反思，才比較具體地領略到我國百年人文學術的發展，竟然這麼曲折。

十九世紀中葉，歐美帝國主義者不請自來時，清廷中的有識之士已多感慨：這是千年來未曾有之變局。李鴻章拉得更遠，他說是「三千年」。從政治上看，確定如此，從文化上，更是如此。文化上的變局恰好落在我們百年人文發展的脈絡裡，我們現在的學制、學科、學門術語都是在百年前左右樹立的，這百年的發展可以說是這種新的學術體系的成長期。千年來未曾有的變局在政治、經濟、軍事各方面的作用，一大半會變為歷史的意義，或者結構化了。但人文科學的變局仍在演變中，我們這百年來所受的文化衝擊之大，遠超過歷史上的任一時期。佛教東來，影響很大，但再怎麼大，都還不至於深層到動搖學制、學術語言、思維模式的層次。殷海光先生生前常以「後五四」時期人物自況，因為他仍有強烈的五四情懷。我們如果將範圍放寬、局面做大，我們可以說仍活在「後嚴復」甚至

「後曾國藩」的年代，傳統知識的現代轉折仍然是重要的學術議題。

台灣比起其他華人地區，百年來的政治情況特顯複雜。就結構面看，日本殖民統治與國民黨治台兩個時期幾乎平分了這段歷史。日本的統治技術應當是一流的，從現代化的物質面考量，台灣也詭譎地擁有殖民的現代性。所以至今仍有些正面的研究價值，也有人懷念殖民時期的歲月，這種緬懷總有些道理。但從人文科學的角度著眼，日治時期的貢獻到底有多大，恐怕需要仔細考量。殖民帝國如果在殖民地有些學術建樹的話，那些學術通常和殖民的利益密切相關，日本也不會例外。

台灣百年人文發展的重點應當是在一九四九國府遷台以後這段時期，不管於質於量，都是如此。即使從「中華民國百年人文傳承大展」的重點來看，恐怕也是如此，一九四九以後的中華民國人文學術發展比起之前在大陸階段的發展，應當不遑多讓。「中華民國」這個概念由於憲法上的意義和現實的政治局勢有嚴重的落差，因此，論者會有各種的解讀。但我們從寬泛的華人政治實體的觀點來看，我相信一九四九以後台灣地區的人文學術發展在以後的歷史評價會有很高的位置，其成就遠非史家豔稱的六朝之河西、五代之吳越所能比擬。二十世紀整整下半個世紀，支援全世界大部分的漢學研究以及全球華人文教事業的國家，不是中華人民共和國，星、港也志不在此，而是中華民國。筆者有幸到馬來西亞待一陣子，聽到彼地學人提到大馬華校與華教之艱辛、台灣教材與教員之支援、來台受教育之種種經過，言者與聽者都幾乎泫然淚下。馬華文學反映了一批與兩岸華人不同的歷史經驗的華人之心聲，他們能夠使用自己熟悉的母語（母文）描述自己獨特的生活經驗，這種成就對全體華人文化的貢獻有多大！台灣在關鍵時期，能對我們的海外華人提出適時的幫助，其作用恐怕不下於戰後美援在許多國家發揮的威力。台灣也有華人文化的馬歇爾計畫！我們反省五〇年代以後的台灣地位時，如果能從具體的華人文化的觀點著眼，筆者相信會有些新的視野出現。

身為展覽的提議者，我給朋友及展覽單位增添了這麼多的麻煩，除了感謝與致歉外，實在不應該多說話。但看到不少香港與大陸朋友看過我們展覽圖錄的反應，不能不有些感動。不只一兩位海外朋友說過：「一九四九以後，幸虧有台灣」；也有人說：「幸虧有港台」，要不然，世界不曉得會怎麼樣。如果一九四九以後，台灣變成另外一個海南島，世界應該還是會照常運轉，好萊塢的電影與巴黎的時裝還是一樣征服全世界人民的想像。但華人文化的損失將是不可想像的巨大，即使對共產中國也是不可彌補的損失，因為它失去最有意義的反對力量。

有朋友問我：「你現在仍然相信一九四九的國府渡海南遷，其意義可以和永嘉、靖康的南渡相比嗎？」我知道他是在擔憂台灣現在的人文學術之處境，但實事求是，就史論史，有什麼好懷疑的！

在台灣談中華文化[1]

羅大佑的歌裡有〈鹿港小鎮〉，鹿港小鎮並非像歌詞所說的沒有霓虹燈。但鹿港除了有霓虹燈外，還有很堅實的在地文化傳統。大概只有在鹿港這個地方，整個寺廟（龍山寺）被九二一地震震垮後，在地的企業家會集體籌資，原址原貌原材料，花了整整七年重建起來，龍山寺是鹿港人永遠的驕傲。也是在鹿港這個小鎮，民選鎮長與全體鎮民為了保護他們的生活方式，打起了反杜邦設廠的運動，揭開了綿綿不絕的台灣環保運動之序幕。羅大佑選鹿港作為批判現代化的象徵，眼光獨到。在強人統治的晚期，〈鹿港小鎮〉歌者以粗獷的喉音吶喊出焦熱變天的訊息。

1 本文初稿刊於《思想》，第25期《在台灣談中華文化》（2014年5月）。

但鹿港不是博物館，鹿港小鎮不以偽古董般的方式觀光造鎮；鹿港以頑強的生命力活出了很有風格的現代市鎮。這個與台南、艋舺並稱的古都除了擁有全台灣少見的密集的詩社、書社、南管、南音等社團，它也保存了香鋪、糕餅、絲繡這些傳統的產業。除此之外，它還擁有很可以代表台灣企業家正面形象的宏碁、和信、華碩、寶成等大企業。鹿港的傳統是活的傳統，活的傳統不但串連了新舊兩代的產業與生活方式，也串起了新舊兩代的公民運動。鹿港不但鳴槍啟動了台灣的環保運動，鹿港也以鎮長的補選吸引了藍綠天王，成為全國矚目的焦點。

只有在鹿港這個地區，我們看到傳統的文化底蘊幾乎無縫接軌地契合了當代的社會實踐，從洪棄生到粘錫麟，從陳懷澄、陳培煦父子到莊太岳、莊垂勝兄弟，從櫟社到構社，鹿港人的公民運動既俗又雅，更重要的，有力。

鹿港可以視為華人民主實踐的櫥窗，鹿港的文史工作者在幾十年來台灣的社會運動中從不缺席。正因為是活生生的實踐，從土地中成長起來，而且是踏在土地上，所以他們大不同於都會型的知識人，對傳統與現代的銜接特別敏感。二〇一三年秋天，以鹿港一群地方文史工作者為主幹的鹿耕講堂成員，假借文開書院庭院，舉辦了一場名為「在台灣談中華文化」的露天文化論壇。單單文開書院與鹿耕講堂的名稱本身就極具象徵意義。文開書院是為紀念台灣文獻之祖的沈光文（字文開）而設的；鹿耕講堂則是為紀念一位鹿港的文化名人鄧傳安（字鹿耕）而立的。鄧傳安先生長期支持文開書院，扶掖鹿江風雅，是大有功於鹿港的地方仕紳。鹿耕講堂的宗旨雖定位在延續漢學文化，但視角卻很現代。

鹿港這些文史工作者長期從事社會運動，對漢文化的生命力有很親切的體認，他們的工作也是很自然地將傳統的因素納入當代的實踐當中。從這個有豐富歷史積澱的文化風土上成長起來的文化人，很難接受他們的傳統被任何的政黨所壟斷，台灣的文化資產就當由台灣所有的政治團體所共有。有鑑於台灣社會常將文化邏輯與政治邏輯混淆在一起，他們決定邀請國內人文學者與反對黨對話。由於這一群朋友與反對運動力量互動較頻繁，彼此信任，蔡英文主席的視野也較為弘闊。因此，論壇遂敲定由蔡主席、一位哲學領域的德裔學者何乏筆以及筆者三人鼎談，並作彼此的交叉對話。

「中華文化」一詞在當代台灣社會的負擔很重。

這個詞語拖著戰後層層疊疊的歷史記憶，踉踉蹌蹌地走到當代，藍綠陣營的人士對這個詞語的記憶與情感反應可以確定是南轅北轍的。如果鹿港的朋友不用這個詞語，而用「華人文化」或「漢文化」，問題應該會很單純。我估計：反對黨陣營的朋友不會反對漢文化是台灣文化的重要內涵。鹿港這群從事文史工作的朋友觸角敏捷，思想靈光，他們所以選擇這個老舊的題目，應該是有道理的。

我後來稍稍了解這個題目的意義，知道此詞語之無用或反作用可能正是無用之大用。鹿港這群文史工作者的政治立場相當本土，一般而言，很同情反對黨的主張，

2013年金秋鹿耕文化論壇的海報，論壇內容刊於《思想》雜誌第25期。

他們當然知道使用這個詞語的效應。他們當然也知道「中華文化」一詞是近代歷史的產物，「文化」本來即是十九世紀以後的日製漢譯名詞，「文化」加上「中華」，不管「中華」一詞出現多早，這個複合名詞應該是伴隨「中華民國」、「中華民族」而興起的概念。在現代的國體與民族概念興起前，「中華文化」的內涵是曖昧而空洞的。等到這個概念明晰化以後，島嶼與大陸的歷史命運卻產生了急遽的斷層，「中華文化」不可能不蘊含一百多年來的歷史內涵。

然而，「中華文化」一詞是無從迴避的。首先，自從民進黨通過〈台灣前途決議文〉以後，即使依民進黨人的認知，中華民國已和台灣一體化，「中華文化」和「台灣文化」已是互紐互滲的關係。即使不論四百年來台灣漢文化與中華文化的實質關係，單單從光復後，尤其是一九四九的渡海大遷移以來，「中華民國」此政治實體所滲透的「中華文化」已是台灣文化的實質因素，「中華文化」並不是一黨一族的專利。反對黨人士現在既然可以很自在地使用「中華民國」一詞，很熱情地揮舞青天白日滿地紅的旗幟，他們沒有理由不能光明磊落地使用「中華文化」的敘述。

放在兩岸目前的格局看，我們也不能不正視中國崛起可能具有的世界史的意義。當中國崛起，鴉片戰爭以來東方的挫折與東方的反抗正走到歷史的轉捩點時，我們不能不注意：以中國為代表的東亞的現代性正在焦思苦慮它的出路。反右、文革的中國已是過去式，老套的共產黨語言（如「階級鬥爭」、「無產階級專政」）早已成為死亡的漢語。中國目前確實仍面臨極大的難題，政權的性質尤為棘手，但中國上上下下，正竭力想找出有意義的「中國性」之現代性出路，趨勢是很明朗的。兩岸因政經的交織，互動已不可能逆返。「中華文化」一詞的內涵是浮動的，它在當代的功能已不可能和文革時期一樣，台灣人民要與當代中國社會對話，不可能不用到這個詞語。

但也許還有更積極的理由。由於台灣的歷史斷層特別多，斷層既帶來了撕裂，但也帶來了豐饒而多元的歷史積澱。尤其台灣的漢文化傳統與一九四九以後渡海而來的中華文化之間有較好的整合，在幾個主要華人社會中，它的另類的現代性轉化特別明顯。如果東亞的現代性能重新啟動，也就是傳統的中國現代性與當代西方的現代性能重新整合，那麼，兩岸的關係可能可以從緊張的「內部的主權關係」之論述轉向「外部的文化方向發展」之論述，台灣也許有機會在即將到來的新的東亞現代性的大工程中，扮演更重要的角色。簡言之，「中華文化」帶給台灣的也許是百年難遇的機會，而不是被共產中國併吞的危機。

「中華文化」的語言與內涵既然無從迴避，語詞所帶來的情緒問題總可以慢慢消化的。由於台灣在近代歷史的混雜性，「在台灣的中華文化」和各種異文化對話的能力相對而言會比較高。「中華文化」多論述幾遍，很可能結果會和表面呈現的現象恰好相反。「中華文化」會擺落民族主義的色彩，它的面貌會越來越本土，同時也越來越國際。鹿港朋友選擇此語，看似不經意，卻有深意藏焉。

台灣的創造力與中華文化夢[1]

一

每個詞語都有自己的生命，在不同的階段，其內涵不會一樣。目前這個階段，「在台灣談中華文化」不會是很好的時機，因為經過戰後幾十年來國民黨政權的反覆操控以及台灣在野勢力的反覆反撲，加上對岸社會主義政權掌握國家機器一甲子以來，前半段粗魯而殘酷地對待，後半段粗魯而如真似幻地扶持，「中華文化」這個詞語已很難平心靜氣地談。但回到事物的本質，華人擁有因語言、文字、歷史傳承、社會風尚而形成的文化樣式，這種文化樣式是華人，更是兩岸華

1 本文初稿刊於《思想》，第25期《在台灣談中華文化》（2014年5月）。

人共同分享的因素，此一敘述應當符合常識。常識通常有結構性的因素，長期看來，不可能被憑空虛構。民進黨領導人物在不少非群眾運動的場合裡，也正面地回應過這個議題。

但這個常識性的議題所以還值得提，應當是常識解不了目前的糾結，我們有必要正視「中華文化」何以會有此命運？明顯地，「中華文化」的困局是戰後台灣政局下的產物，在日治時代，在光復到一九四九年，至少到二二八時期，這個現象是不存在的。當一個威權的政權壟斷了「中華文化」的解釋權時，政治異議者就不會想分享這個詞語的內涵，就像當中共壟斷「中國」的解釋權時，「中國人」一詞在台灣就不可能受到歡迎一樣。意義是在語意的差異中產生的，如果用龍樹的語言講，更可說是

鹿耕論壇一景，榕樹背後為鹿港文開書院。文開書院因台灣文獻之祖沈光文之字文開而命名。照片從右至左：何乏筆教授、蔡英文主席、筆者、賴錫三教授。

在對照中產生的。當有一個非共識的「中華文化」、「中國」進入島嶼時，一個對照面的「台灣文化」、「台灣」就不可能不產生。中國／台灣的二元性對立是個不幸的發展，但從政治語言產生的機制看，卻有其必然性。為了避免糾葛，我也不介意以「漢文化」或我自己以前曾用過的「漢華文化」一詞代替之。但在目前的兩岸局勢下，我認為使用「中華文化」這個帶有國族主義色彩的詞彙未必沒有好處，它可以撞擊台灣社會的「軟腰」區。

「中華文化在台灣」不是一個認知的問題，而是集體情感的問題，這種集體情感牽涉到集體記憶的形成以及歷史演變的過程。既然是「集體情感」的問題，我們有必要挖掘這個歷史癥結是如何形成的，而目前這個時機雖然不會太好，但應該也不會太壞。因為自從解嚴以後，中國國民黨和台灣已結為一體，它的任何主張都不可能脫離台灣的現實，因此，中華文化與國民黨的天然結盟已不再存在。脫離口號的「中華文化」，對國民黨未嘗不是好事，因為它要面對台灣的現實，如果「中華文化」還有意義的話，「中華文化與台灣」的關係不可能不浮上議事台。解嚴對反對黨也是好事，因為沒有「受迫害」的光圈加持，它必須正視「台灣文化」的實質所指為何。

「文化」太大了，它像康德批判的「時間起源」、「世界的邊界」一樣，幾乎無法成為認識的對象。然而，當我們說及「台灣文化」時，通常採取的是種地理模式的「屬地」概念，亦即台灣提供了活動的基地，發生在這塊島嶼上的事物構成了文化的內涵。政治人物採取這種思考並沒有錯，放在台灣的政治現實來看，這樣的立場是非常政治正確的，因為選票是島上所有公民投出來的。曹永和院士並不是對政治太敏感的人，但他提出的「台灣島史觀」，亦即「以地範人」的概念，其作用和政治上的屬地、屬國理念是一致的。領土不會跑，容易切割，又可引發「大母神」的歸屬感，領土的隱喻焉能不用！

然而，談「文化」，焦點落實於空間，這種想像有其局限，即使只從政治觀點看，也是如此。政治人物談文化，通常預設了「主權」與「地理空間」的結合，所以文化就成了「一國文化」。這種想法預設了「政權來自人民」的正當性，但人民的內涵卻不能依領土的概念限定之。人民的本質是「文化」，「文化」是人的創造物，人是語言—文字—傳統的存在，它的內涵遠大於主權國家的政治公民。從維柯、赫德以下，「了解文化和了解自然不一樣」已成為文化詮釋的前提。我們如從構成台灣居民的角度看，不可能否認台灣文化的多元性，但同樣不可能否認漢字—漢語—漢文化有主導性的力量。漢字—漢語—漢文化沒有絕對的本質，它也是流動的，不一定和「漢族」的概念重合。閩南人的血液到底流動多少「古漢人」的成分，非常值得懷疑。放在台灣社會來講，漢文化更不宜直接和漢族掛鉤，我們不可能不尊重原住民的地位以及新住民的聲音。儘管如此，以漢字、漢語為載體的漢文化還是台灣的主導性力量，它也比較容易成為台灣非漢民族共享而且也可以溝通的成分。漢字—漢語—漢文化是有歷史縱深的，也是跨越族群的，它遠在兩岸分治之前即已存在，而且其存在即是跨越漢民族的區域的，台灣文化的內涵和這種跨族群區域與深具歷史縱深的性格脫離不了關係。

一旦從漢字—漢語—漢文化的角度著眼，我們就當正視它具有的創造力的潛能。漢字—漢語—漢文化承載豐富的文化傳統，這是事實；漢字—漢語—漢文化是日治時期台灣人民自保民族認同最重要的精神武器，這是事實；漢字—漢語—漢文化在近代東亞世界的形構中，帶有極豐富的文化交涉的歷史積澱，這也是事實；

台灣居民大部分依漢字—漢語—漢文化思考，這更是事實；語言—文字是精神的展現、是創造力的泉源、是主體的構成要因，這也是事實；主權是自保而切割的，但漢文化是東亞共享而可溝通的因素，這仍然是事實。在這些事實的基礎上，「漢字—漢語—漢文化是台灣人民創造力最重要的來源」之說就很難反駁。不管其他華人或東亞人士和我們分享這些資源到何等程度，也不管我們喜不喜歡其他地區的華人社群，這種結構性的事實不會改變。

筆者相信思考台灣問題時，論者如能從政治的視野轉到文化創造力的角度，台灣以漢字為載體的漢文化具有很強的競爭力，這個論斷或許不會受到太大的挑戰。為什麼當「台灣的漢文化」改成「台灣的中華文化」時，反應就不同了呢？原因可能還是語感背後的政治聯想，如何使得「中華文化」一詞去意識形態化，或許才是解決問題的關鍵所在。

二

「在台灣的中華文化」一詞雖然容易引發複雜的集體情感之反應，不像「漢字文化」或「漢文化」那麼單純，但這個詞語最大的好處是它可以介入未來東亞世界的形構。「台灣的中華文化」不只具有歷史的意義，它也是台灣社會結構的要因，更可能是推動台灣未來進展極大的歷史動力。從文化的觀點考量，台灣與中國、台灣與東亞的關係無疑地較為曖昧，但創造力來自於曖昧——在語言、技術的創新上，這種現象非常明顯。台灣現代的中華文化顯然已非帝制中國的模樣，它承載了來自近代—西方所掀起的歷史波浪留下的豐富歷史積澱；也承接了作為東西文化轉譯站的「日本橋」挪移過來的文化資產。在目前台灣的中華文化傳統裡既包含了古典華夏世界的部分，也包含了近代東西夾雜的成分。這種含混性如果無法釐清，即是痛苦的來源。如果找出理路，柳暗花明，也許台灣創造性的基礎可以更寬、更深。

以中國為核心的東亞世界原來有自己的歷史行程，但自工業革命、資本主義帝國興起後，全球化的格局打破了東亞的歷史腳步，東亞的現代化是被迫的現代化，也是外加的現代化。但東亞本來有自己的步驟，晚近對中日兩國的現代性之研究日漸豐富，線索也越來越清楚，宋代及明末是最被注意到的兩說。不管怎麼講，東亞有較穩定而堅實的歷史傳統，所以當它被打亂了原有的步驟、甚至秩序以後，「東亞的反抗」或者是另一種意義的「東方論」即在醞釀。這種「東方論」不是薩依德式的那種被帝國主義之眼凝視的類型，它是反帝國主義的自我肯定。東方社會，幾乎每隔一陣子，即會有「東亞價值論」、「近代超克論」、「儒家資本主義」、「鄉土文學」之類的運動產生，而且不只中國，日韓星馬諸國都有此聲調。也不只在政治領域，教育、文化、藝術各領域也分別有回響。這種異曲同調的現象規模夠大，時間夠久，「東亞的反抗」是有歷史依據的。「東亞的反抗」自然也有陷阱，日本在二戰犯的錯誤就是最明顯的誤入歧途，有意義的反抗一定要正視和民族主義結合的風險。

有被打亂的歷史行程，就不可能沒有反抗，而且反抗的成績也不是不存在的。筆者認為：從十九世紀末到二戰前，日本扮演「另類東方論」的執行者；從二十世紀末以後，中國取代日本，扮演「新東方論」火車頭的角色。中國除了政治中國、經濟中國以外，它現在很明顯地是扮演另類價值的提供者，至少現在的社會主義中國有這種強烈的企圖心。任何帝國不可能脫離軟實力的支持，近代的帝國法英美蘇皆是如此。脫離自由、平等、博愛、人權、革命、階級鬥爭、反帝這些語彙，我們即無法了解近代社會，這些帝國也無法自存。中國現在唯一能用以召喚人民，也召喚國際的因素，大概不在共產主義，而是一種「文化中國」的想像。

不只中國需要文化中國，世界也想了解文化中國，但歷史的詭異莫過於此，什麼是文化中國？如何讓中國「文化中國」化？「文化中國」其實是很模糊的，在中國，面貌尤其模糊。可是，中國在世界的角色無疑地越來越重要，文化中國的要求也越來越迫切，這個趨勢在可見的時間內不可能改變。既然如此，如果中國不能體現真正的中國夢，天下乃天下人之天下，兩岸既然共同分享了悠久的文化傳統，如果我們能消解十九世紀以來強烈的主權思維，鬆綁「中國」、「中華」的多元內涵，為什麼台灣不能執行中國夢？為了台灣，為了中國，也為了普世的文化理念，台灣的漢文化既然積累了足夠的傳統力量，也混雜了特多東西夾雜的異質力道，都已推到第一線了，為什麼不採取禪宗的勸諭：撒手懸崖，奮力一躍！為什麼我們不善用自己的資源！

不管我們喜不喜歡現在的中國，兩岸華人共同承繼的華夏文化是人類史上極燦爛的文化之一，它蘊含的現代性資源初步受挫於滿清入主中原後的政治鎮壓，更全面性地受挫於十九世紀中葉以來的西方現代性之席捲東亞地區。然而，這種外加的現代性在目前確實已面臨瓶頸，重新接續中國傳統所提供的文化資源已不是課堂討論的議題，而是活生生的現實問題。而在台灣的中華文化因有底層的傳統文化與四九年的民國中華文化之銜接，又累積了諸多歷史斷層所引致的異文化，這種混雜而又具有協調風格的文化在新的兩岸關係之結構中，應該可以發揮很大的作用。

台灣的文化前景很可能是何乏筆所說的外加的現代化接上本土的現代化，因而產生另類的現代化。中國夢如果有意義，它的內涵絕不會只是政治或經濟的，「中國夢」不妨以「中國文化夢」視之。台灣可以用台灣文化實體化中國文化，以中國文化實體化中國夢，這種抉擇應該會有豐沛的歷史動能的。如果真有台灣參與在內的中國文化夢，台灣的政治糾結也許反而可以迎刃而解。因為台灣政治癥結的「主權」概念原本即是西方現代性的產物，兩岸局勢的特殊既然那麼特別，也許我們可以繞道思求另解。不管如何說，自今而後，任何有意義的政治理念不可能脫離人民的決定，也不可能脫離民主、自由的框架，這是儒家知識人對台灣最基本的承諾，也是清末以來所有政治勢力對人民的承諾，現在該是它們兌現的時候了。

兩岸發展到這個階段，文化的互滲已不可免，「中華文化」的名與實應該會越來越被台灣人民所接受。台灣的中華文化會參與下一波的另類現代性之創造，結構決定了方向，此趨勢不會因人的主觀意志而改移。我相信：「中國文化引發的台灣夢」與「台灣文化引發的中國夢」是站在這種正確的歷史站牌邊的，而另類的現代性之歷史巴士有可能會迎面而來。

在民國思考「民國學術」[1]

「民國學術」是中華人民共和國的用語，它意指民國成立至人民共和國成立這段期間的學術。這個用法放在人民共和國的脈絡下使用，既方便，也有其解讀的特殊意義。但這種政權轉移導致的學術論述只是一種角度的論述，「民國學術」的內涵早已溢出大陸中國的空間邊界，也溢出了一九四九的歷史邊界。從台灣看「民國學術」，視野與判斷都不會一樣，因為「台灣」與「中華民國」有特殊的關係，政治上如此，學術意義上更是如此。

「民國學術」本來是各種歷史階段的學術分類中的一種，「民國學術」和「先秦

1 本文初稿刊於《鵝湖月刊》，第477期（2015年3月）。

學術」、「東漢學術」、「明清學術」諸種斷代史的學術同科，但「民國學術」一詞顯然已從各種斷代史學術的隊伍中脫穎而出，成為顯學，它和「民國熱」的社會文化現象緊密相扣。中華人民共和國的「民國熱」已經發燒好長的一段時間了，大概從鄧小平改採對外開放的政策以後，對內的歷史反思也跟著開始了，這波長期發燒的民國熱和「文化熱」的時間重疊。在可見的將來，由於中共政體與社會間的矛盾不一定那麼容易整合，所以「民國熱」還會持續一段時間，對歷史的狂熱本來就是對現實不滿的替代品。一種學術的熱潮能持續這麼久，這種熱就不太可能是一陣的風潮，而是有結構的因素。

結構的關鍵點在一九四九的共產革命，當中共席捲整片大陸中國以後，毛澤東即掌握了政權，也掌握了文化的發言權；既取得政治的權威，也取得道德的權威。一九四九共產革命是近世中國全盤性反傳統且反西方的產物，也是掌權後繼續發展這種雙方向之反的運動的推動力，它在學術上最大的影響，就是定共產思想於一尊，其他的民國學術的內容都處於被批判、被整編的地位。籠統說來，在中共改革開放以前，共產中國的學術饗宴上並沒有給社會主義以外的思潮留下席位。

整整三十年，也就是傳統所說的一紀，民國學術在原有的土地上憑空蒸發了。蒸發的三十年也是史無前例的革命實驗的三十年，代表民國學術主要思潮的文化傳統主義與自由主義都沒有呼吸成長的空間。這個斷層的三十年造成了學術與社會各領域極惡劣的後果，新中國之新相當程度是非常殘酷的暴力打造出來的。當大陸地區的政治開始鬆綁，學術開始甦醒以後，有關民國學術的內涵之探討遂一發不可收拾。共產革命之前的民國學術主流如果可以簡單劃分成文化傳統主義、自由主義與社會主義三大塊的話，在近三十年的新中國的大地上，依舊是這三大思潮在彼此激盪。然而，歷史的斷層就像程明道詩所說的「隔斷紅塵三十里」，今日的三大思潮如何落實下來以銜接民國的三大思潮，竟不能不是難以承受的重！

反思民國思潮的立足點可立在人民共和國，也可立在中華民國的土地上。在民國回想民國，既理直氣壯，又有幾許滄桑。在台灣思索民國學術，乃因民國學術在一九四九年之後，在海峽兩岸的命運截然不同。在解嚴前的異議分子眼中，一九四九之後的兩岸政權之性質常被視為兩種壞的等級之差，難兄難弟。事實不然，正如儲安平講的：「自由在國民黨治下是多少的問題，在共產黨治下便是有無問題了。」這種「有無」與「多少」之差乃是質的差別，乃是學術能否發展的最小空間。一九四九之後的共產黨成了國民黨隔海最有力的反對黨，它無意中成了督促國民黨不至於太墮落的力量。在台灣，雖然有白色恐怖、報禁、黨禁，但在國民黨「獨裁無膽」、「民主無量」（這是許多反對人士對戒嚴時期國民黨定的標籤）治理下，代表民國學術的主要思潮仍在夾縫中發展。

民主政治的建立是戰後台灣社會發展的一條主軸，光芒四射，不想看也難。但民主

殷海光與徐復觀的合照。殷先生過世後，徐先生有文弔之，文曰：「痛弔吾敵！痛弔吾友！」兩人的快意恩仇反映了一個時代思潮的變遷。（此照片徐均琴提供）

政治的建立不單是政治力施力的結果，它也是學與力的結合所致。目前有關戰後台灣的學術論述與政治發展的密切關聯，常被學界忽視掉。回首來時路，我們不難發現一甲子來的台灣政治的發展基本上是沿著胡適、雷震、殷海光他們文章所開的藥方，一步步完成的。大約在解除戒嚴、總統直選、國會全面改選之後，自由主義在當代華人社會已取得初步的成果。這是自嚴復引進新思潮、康梁孫黃結社奮鬥以來，前所未有的成就。大約在同一時間，文化傳統主義則在錢穆、唐君毅、徐復觀、牟宗三先後完成一生代表作，先後歸山後，也畫下了休止符。新儒家不但在道德哲學與文化哲學上有所建樹，張君勱、牟宗三、徐復觀這幾位儒者還很自覺地將民主政治視為儒家內在的要求，在學術論述上完成了兩個傳統間的銜接工程。一九五八年由唐君毅先生主筆，上述三人連署的〈為中國文化敬告世界人士宣言〉此重要文獻中，新儒家學者對民主政治與儒家價值的結盟作了堅強的承諾。

眾所共知，在早期民國階段，自由主義與儒家思潮曾經歷嚴重的摩擦，科學與玄學論戰就是重要的指標，史語所成立以不談「仁義禮智」為旨趣，也是重要的宣示。但兩股思潮的代表人物在一九四九之後，因面對共同的政敵，終於發現昔日的論敵反而是新階段必須相互支援的友軍。他們最後幾乎都同時肯定民主、自由的「體」之框架功能，同時也肯定文化傳統的實質價值。傅斯年出掌台大，特別標舉《孟子》與《史記》的文化修養意義，就是一個具有象徵性的轉向。徐復觀和殷海光晚年的和解，既代表儒家價值與自由主義的融合已初步完成，也代表民國學術的發展進入一個新的階段。

台灣的人文學術的一大特色，乃是它在體制上繼承了日本帝國大學與中華民國國立大學的雙源流的傳統，但這兩源的能量不可同日而語。我們如以哲學科為例，從台北帝國大學建校的昭和三年（一九二八）起，到二戰期間的十八年（一九四三）為止，台北帝大哲學科總共只收學生三十九名，其中連一位台籍的學生都沒有，其他的人文科學的情況也好不到哪裡。到了一九四九以後，由於政經局勢遽變，台灣的高等教育蓬勃發展，不管是復校或是新設大學，其規模都遠非日治時期的教育者所能想像。如論今日台灣人文學界的格局，也許除了人類學、語言學等少數科學可以看到較明顯的日本帝大的業績外，民國國立大學的影響遠遠超過日治的帝國大學。更獨特地，乃在相當長的一段時間內，繼承民國學風者並不在中國本土，而在海外的港台。台灣由於土地面積廣、政權轉移完整、渡海學者眾多、文教機構數量龐大，其「學統」的意象極清晰，繼承民國學術的格局尤顯開闊。

一九四九之後的中國共產黨敢教日月換新天，人有多大膽，學就相應地有多大的慘。其時的民國學術就像中華民國的國號一樣，都被視為永不再來的歷史，而且是一段不太光彩的歷史。反而流亡海外孤島的中華民國和民國學術，因為經由曲折的歷史際遇，國家與學術都獲得新生，也都獲得成長的土壤，這一甲子的台灣學術可以說是民國學術的延伸。晚近世界局勢大變，漢學遍地開花，多元中心非常明顯。中國大陸挾著政經地位的巨變，學術人口與學術機制的急速擴增，與國家相對的社會之力量隱約形成，其發展動能更是令人怵目驚心。但如論與民國學術的親和性，中華民國的學術性格仍是特別顯著。脫離民國學術，台灣學術的內涵將是難以想像的蒼白。

從「中華民國在台灣」這樣的論域上論「民國學術」，應當是不可缺少的視角。

中華民國的學術如果以一九四九對分的話，前期的民國學術和後期的民國學術之銜接自然不可能一路順暢，沒有令人遺憾的因素。最明顯地，莫過於社會主義在四九年後的台灣基本上處於失聲的狀況。此一失聲連結上一個歷史階段的日本殖民統治對左派思潮的殘暴鎮壓，社會主義的思潮在戰後台灣的發展遂不能不隱微委屈，柔腸寸斷，沒有傳承可言。社會主義與同時期的兩大思潮之間的整合顯然也未曾展開，遠不如新儒家與自由主義的整合。

儒家與社會主義的精神本來是相當緊密的，從康有為、梁啟超到熊十力、梁漱溟，我們都可在他們的思想中找到極濃烈的社會主義思想的因素。一落到現實的處境，兩者竟然無法發生更有意義的結合，主要原因當是政治殘暴地介入所致。左派思潮在當代台灣社會的缺席，無疑地是島嶼人民的一大損失；左派在大陸無法產生人文化成的精神能量，則使得全體中國人在一九五〇年代以

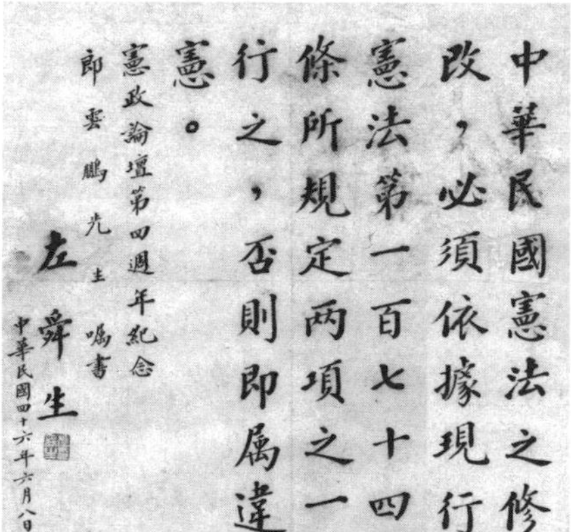
中華民國憲法之修改，必須依據現行憲法第一百七十四條所規定兩項之一行之，否則即屬違憲。
憲政論壇第四週年紀念
郎雲鵬先生囑書
左舜生
中華民國四十六年六月八日

憲法174條規定修憲的條件。雖然解嚴前的台灣在野黨常被譏評為「廁所裡的花瓶」，但左舜生身為在野黨青年黨的主席，他仍必須守住憲法這關卡。「修憲」爾後一直是牽動台灣朝野神經的一個咒語。

後遭受難以言說的苦難。前後期的民國學術之傳承也是詭譎多變的。

在中華民國反思民國學術，也就是在台灣反思民國學術。「中華民國」與「台灣」這兩個名詞在民國學術史的脈絡下可以互換，顯示當代台灣學術的內涵即是民國學術的轉化。這種轉化不見於中華人民共和國，而見於中華民國，這是極特殊的歷史淵源。民國學術是不可能躍過的歷史階段，它的內涵不是過去式的，而是現在進行式的。這樣的學術資源應當也是內在於華人社會的骨髓裡的，因為它本來即從華人文化的土壤中成長起來的。即使台灣在日治時期參與民國學術建構工程的機會並不大，但經由歷史的嫁接，兩者的連結倒也自然地發生了。民國學術乃是血肉化於台灣意識的核心因素，不是外於中華民國的「學術之他者」。如果在歷史淵源的意義上曾是他者，至少目前已是融合無間的，這樣的他者與自己之分別再也無意義。

反思中華民國與民國學術史的一體化，對我們如何面對當代中國的思潮有極大的幫助。因為當社會主義中國重新面對民國學術的傳承時，發現一覺居然回到解放前。五四的呼喚還是有效，代表文化傳統呼聲的新儒家之呼籲還是有效，自由主義者的呼籲還是有效，其呼喊之急切甚至比一九四九年之前的中國還要急切。一九四九後的台灣經驗對我們理解當代中國中、西、馬三統的關係或未來中國學術的前途，應該都是重要的借鏡，其親和性不是其他地區可以比擬的。更重要的，反省台灣內部的民國學術不只對人民共和國有益，它也是我們自我了解不可繞道的核心因素。

反思新中國的三統關係，也就是再進入舊中國的民國學術傳統。一旦我們將「台灣」這個地理名詞與「中華民國」這個政治名詞互換時，也許無意間反而找到一條跨越一九四九大分裂與兩岸對峙的通路。再也沒有比在甲午乙未之際於島嶼思考新的三統說，更時地兩宜了。

林彪也是孔子信徒？紅衛兵這樣說的，文革時期官方也是這樣定調的，他們收集了「林副主席」的黑材料，發現他是一個「地地道道的現代中國的孔老二」。此書也是文革一景。「儒家與社會主義中國」的關係到了21世紀以後當然已大不相同，但如何磨合，仍在進行中。

儒家的現代性？[1]

一

張君勱、唐君毅、牟宗三、徐復觀四先生一九五八年聯名發表〈為中國文化敬告世界人士宣言〉，文章由唐先生起稿，他們四人對文中個別論點的想法顯然不會一致的，如徐先生對形上學的興趣不高，可想見的，他對宣言當中觸及形上學的內容會有較多的保留。但基本上，此宣言的論點可代表四人共同的想法。此宣言發布已逾半世紀，它是當代中國思想史的重要文獻，其論點不時會被提到。在筆者閱覽過的眾多的研究〈宣言〉的文章中，何乏筆先生此文應該是挑戰性最高、

1 本文初稿刊於《文化研究》，第8期（2009年6月）。

也最具現代性意義的一篇，何文的論點或許還不夠周全，〈宣言〉爾後的發展是否可以印證何文的基本論點，其中的變數也還多，但這無礙於何文引發議題的爆發力。問題和答案一樣重要，重要的提問和重要的論述是相聯而起的。

何文對〈為中國文化敬告世界人士宣言〉下的判斷，最重要也最易引發爭議的論點，乃是作者認為此宣言的現代性很強，其實質內涵比當代西方最具批判性的法蘭克福學派還強。作者學有淵源，其源出自法蘭克福，思考方式也帶有濃厚的法蘭克福色彩，他的斷言因此不能等閒視之。眾所共知，發表宣言的四位先生在現代學術研究的學派分類中，通常被劃歸為文化保守主義。他們雖然是那代知識人當中頗了解西方文化的代表，但他們的了解還是有限制的，一般認為他們了解的西洋文化大概局限於德國理想主義一系，對德國哲學以外的廣大西洋文化版圖，他們的了解恐怕相對地有限。本文作者何先生對當代新儒家相當了解，上述流行的既定印象有其合理性，何先生不會不知道的。但他從「系譜學」與「跨文化哲學」的立場出發，主張新儒家〈宣言〉的現代性，我認為他的論點值得重視。

問題要從「誰的現代性」或「什麼樣的現代性」談起。現代性是近代的、而且是世界性的議題，近代世界的各個老文明不管曾經多閉關自守，它們最後都無從選擇的，全部被捲入由歐洲文明所引發的近代化歷程。在相當的程度內，近代世界已沒有傳統的社會，所有的文明都是被西歐的近代性所滲透的文明，世界已越來越同質化，「他者」越來越少。然而，如果現代性只有歐洲型一種，其他世界全扁平化了，那麼，這樣的趨勢會帶來如下的問題：歐洲會缺少一塊足以對照、反省的參照者，它無法校正它自己的現代性之盲點或流弊。無疑地，主流的現代性是歐洲內部內發的因素，後來隨著資本主義體系的擴張，它遍布到世界各地區。然而，各古老文明真的

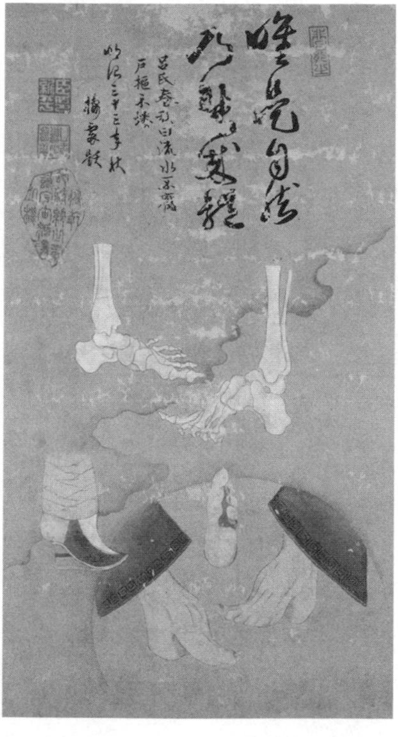

推動台灣進入殖民現代性的關鍵人物是後藤新平，小腳、辮子、鴉片被視為三大惡習，現代化（文明化）的起點即從剪辮子、放纏足、戒鴉片開始。圖片為後藤新平題小腳圖，後藤新平醫學出身，精解剖，此圖不無可能為後藤新平所繪。

都沒有回應的能力嗎？目前的世界真的已是西風壓倒東風，只有一種複製的現代性嗎？我看：問題未必如此。東亞世界與阿拉伯世界的現況顯示對西洋現代性的吸收與反抗是同時並存的，這齣張力十足的歷史劇仍在上演中。

對現代性的反思這樣的問題意識引發了「間文化」（何先生稱作「文化間際」）的論述，法國當代漢學家朱利安（或譯為于連）可為代表。朱利安作為當代歐洲一位有代表性的漢學家兼哲學家，他做的工作乃是立足在當代歐洲思想的基礎上，拿中國思想，尤其是古代中國作為一種對照的他者，藉以突顯歐洲本身的特色與限制。在「間文化」論述下的中國哲學乃是作為對照者的角色而出現於歷史舞台的，它並不在歐洲的或世界性的現代性的範圍內。朱利安的自我定位似乎是歐洲的朱利安，他理解的中國是古典中國，古典中國是歐洲的外部因素。朱利安理解的中國基本上是封閉自足的，是永恆的宋元陶瓷，這個神祕的國度以內在性的循環之方式，寧靜地活在傳教士與商人東來之前的時代。

何文不取「間文化」而取「跨文化」的論述，在何先生看來，「間文化」總會帶些本質論的影子，其論述是在兩種文化間的關係中產生的。嚴格說來，「跨文化」既然要跨不同之文化，它也不可能不承認不同類型的文化之存在，否則，無從「跨」起！「跨文化」與「間文化」的差異在於後者採取從異文化所面臨的共同問題入手，在共同性的問題意識當中，不同的文化可以作為相互比較的對照點。何文的「跨文化」論述重視知識類型，其理論預設之一當是傅柯的「系譜學」方法。「系譜學」之不同於「考古學」方法者，乃在「系譜學」的重點不落在後溯的追究其學問之成立依據，而是落在共通的處境下，探討學問的類型。而在目前的歷史處境下，已沒有純粹的異文化（如中國文化或東方文化）可作為比較的對象。

何文將〈宣言〉放在「跨文化」的視野下定位，貌似特別而實不怪異，筆者認為有很深的理論趣味。何文將新儒家和批判哲學作一比較，認為新儒家之了解西方，遠勝批判哲學之了解中國。何文此一判斷恐怕不易反駁，歐陸近現代第一流的學者，從黑格爾到韋伯，其著作裡的中國圖像都不慊人意。相對之下，新儒家了解西方，不管他們的理解有多少的限制，他們在學習態度上之謙卑以及吸納知識上之開放，應該都超越他們的歐美同道，這樣的現象大概是很難反駁的。此一現象不必是東西方學者的知識心態問題，而是有體制性的因素的。何先生在另外的文章中提到當代中國哲學家所以較開放，「當代漢語」扮演很重要的角色。因為至少從十九世紀以來，中國學界很自覺地打造新漢語，以求大量吸收外國思想，翻譯之，闡釋之。其規模之大之深，遠非歐美學人之消化東方思想者可比。

作者的意思可能是說：由於現代漢語已非傳統漢語，它事實上已融化了近現代的歐洲意識於其中，因此，當代有原創性的中國哲學家在反省現代性的問題時，很自然地，他們的思考就是跨文化的思考，他們的思考中，已有歐美的因素。當代中國哲學家的思想應該比他們的歐美同道有力道，因為立足點不一樣。而新儒家正是近現代中國學派中，最有創造力的一支。他們立足在混雜的漢語語境上面，融會中西，因此，他們的思考有可能提供更周延的洞見。語言和工業生產類似，往往有後發者的優勢問題，後發者先至。

關於作為「現代性」的載體之語言問題，筆者想對現代漢語扮演的角色再下一注解。子安宣邦先生在訪台的一次演講中，提及當代日文的「倫理」一詞其實有來自日本固有的皇國史觀與西洋ethic的雙源頭，因此，論及「倫理」一詞時，兩者的內涵時常鉸鏈在一起。筆者認為子安先生此一觀察很可能可以成立，但「倫理」一詞不是孤例，日本也不是唯一碰到一字二源頭的地區。從一個更徹底的意思來說，使用漢字的地區都會碰到這樣的窘境。漢字是使用了幾千年不曾斷裂的語種，它的每個字都負載了傳統的重量，即使連認知義很稀薄的感嘆詞都不可能純潔如白紙。當代中文是漢字落在當代世界所用的語文，筆者認為漢字的重要學術術語都有兩個源頭，一個是漢字本身所繼承的文化傳統，一個是從十九世紀末整體學術設計（從學制到分類到術語）所承襲過來的近代西方學術架構。新造的學術術語如哲學、知識論、形上學、現象學等固然如此，即使古老的學科術語如文學、歷史、宗教、理性等，也一樣是「兩頭蛇」，同具中西的語義流變史。我們現在理解當代重要的學術術語，自然而然地與上世紀初的學人大異，不管使用者願意不願意，我們已用一種新的語言形式在思考。比如：使用「形上學」一詞時，我們同時知道此詞語出自《易經》，但我們也知道它是metaphysics一詞的對譯語。現代的語言形式因為繼承了傳統的語義史又添進了新的概念架構，因此，學者使用這種語言時，很自然而然地就參與了一種非東非西的現代性之論述。

思想離不開語言，但語言的功能也不宜誇大，單單現代中文這個因素不見得能使得使用現代中文的學者變得更有統合異文化的能力。但這種「語義雜交」的語言由於具備了複聲歧義的功能，它的「互文性」更強，內在異質性的糾結引致的創發力也有可能更具爆炸力道。晚近中國學者反省中國近現代的文化時，常提及「失語症」或「反向格義」的問題，這樣的問題確實很值得留意。「失語症」與「反向格義」的現象顯示古典漢語與現代文明的交涉，乃是其原初的語義內涵不斷被扭曲挖空以待填補的歷程，也就是它陷入被重新定義的窘境，交流史即受辱史。但知病就是藥，一旦我們覺察到當代中文的「反向格義」之面相時，我們同時也了解「反向」不是唯一的方向，當代中文應該具備了「兩義互格」的作用。這種「兩義互格」不古不今，亦古亦今；不中不西，亦中亦西。它的作用是結構性的，新儒家的工作可以說就是做這種「互格」的艱難事業。

二

新儒家對現代性的回應如要有貢獻，不可能只建立在「漢字」此載體上。它明顯的立場是建立在儒家原有的基礎上的一種回應，新儒家學者用的語彙是「返本開新」。「本」是個隱喻，由本而有末，由本而有枝幹花葉的展現，這種隱喻很容易將儒家體系本體化，至少是相當程度的固定化。新儒家論中國現代化的兩大指標：民主與科學，都是從「返本開新」的思維模式展開的。民主與科學被視為內在於儒家的基本需求，唐君毅先生重新論「格物致知」，牟宗三先生論「民主開出說」，兩人的言論背後都意味著儒家的發展「原本」即有意開出「民主」與「科學」。明末清初的大儒顧炎武、黃宗羲、王船山被視為尋找儒家現代化的先驅，他們之所以失敗，並非在思想的本質上有何欠缺，他們欠缺的只是找不到恰當的形式，以及恰當的時機而已。民國新儒家要重新做這個工作，他們認為他們的「新」其實已潛藏在儒家原有的思想基因當中——牟宗三先生一直討厭「新儒家」的「新」字，他認為從頭到尾只有一種儒家，沒有新舊儒家。他所以如此反應，我們可從一種本質論的觀點得到線索。

民國新儒家的「開出說」在哲學論證以及現實狀況的解釋上，都引發了相當多的爭議。由於民國新儒家學者所長不在社會史，因此，其解釋常帶有濃厚的思辯哲學的味道，說服力也相對減弱。然而，新儒家這樣的解釋其實在內在理路與歷史現實的發展上，都有一套足以成說的論述的。我們不妨參考一個平行的例子，這個例子是日本同行學者對同一種現象的解釋。中國的現代化是個複雜的歷史現象，日本同行的解釋當然不可能只有一種聲音。然而，至少從島田虔次到溝口雄三先生，他們都受到內藤湖南中國現代性的啟示，只是他們更重視晚明這個階段的表現。島田與溝口兩先生對中國現代性的內涵雖有爭議，但他們都發現儒學在東亞的發展顯示出一條清楚的紅線：一種注重個體自由、四民平等的理念、合議的協商制度以及合理的認知精神等等現代性的因素，這條紅線從晚明時期即已存在。就大方向而言，日本這些儒家思想史名家的解釋與民國新儒家的理解相去不遠。雖然他們的理論著眼點不一定一致，日本學者對泰州學派等所謂的左派王學也有更高的評價，但兩方學者同樣看出儒家思想內部具有相當充沛的現代性動能。

宣言中強烈的「返本開新」說不只代表聯名者的共同立場，民國新儒家學者的論點恐怕都不出其右。梁漱溟晚年一直強調中國共產黨優於蘇共者，在於中國文化的滲透力量，其說亦緣此理路而來。宣言不接受唯一的現代性，而主張儒家的現代性。這種立場可以視為儒家的立場，但如果只是儒家的立場，它的意義就不那麼大。然而，理論先於現實，現實反過來可以印證理論。〈宣言〉發表當年所面臨的最大障礙，乃是共產中國的發展和儒家現代性的論述幾乎是脫鉤的。中國史上很少像中共這般赤裸裸而且大剌剌地反傳統，這是赤裸裸的現實，赤裸到可以視為對新儒家的嘲諷。但新儒家學者一向深信中共如要發展，或有意義的發展，它需要回歸到中國文化的內部脈動裡來。沒想到後來歷史事實的發展居然如此，原本反傳統最力，同時也可以說是反傳統思潮的結晶的中共在革命成功三十年後，竟改革開放，廣開門路，中國的轉向適時的提供了支持〈宣言〉的現實的印證。中共在中國的六十年執政經驗顯示中國需要一種建立在儒家傳統上的現代性，中共的用語叫「具有中國特色的社會主義」。中國的現代性如果具有楷模的意義，它無疑地要提出迥異於近代西方所帶來的模式，而儒家傳統是最可能提供較恰當的發展的模型的思潮。

在相當長的一段時間內，凡現代性項目加上「中國」或「東方」的名詞，往往是負面的意義。「東方式的民主」、「中國式的科學」、「儒家式的性別」等，大概都是嘲諷的意味居多。這樣的現象可以給我們一些警惕：傳達另類的現代性時，需要注意民族主義的陰影，也要注意文化本質主義帶來的反西方文化之不良效應。如果我們相信吸收異文化是健康的，那麼，我們應當盡量避免違反普世意義價值的行動。但隨著多元的現代性越來越可能被接受，我們更有理由堅持一種有機的、非複製性的模式才可能在此塊土地上成長茁壯，而世界需要我們的也是一種內容更豐富的東亞「現代性」內涵的因子，而不是對西方現代性一種無意義的拷貝。新儒家的宣言所以貌似保守，而實含激進，其故在此。

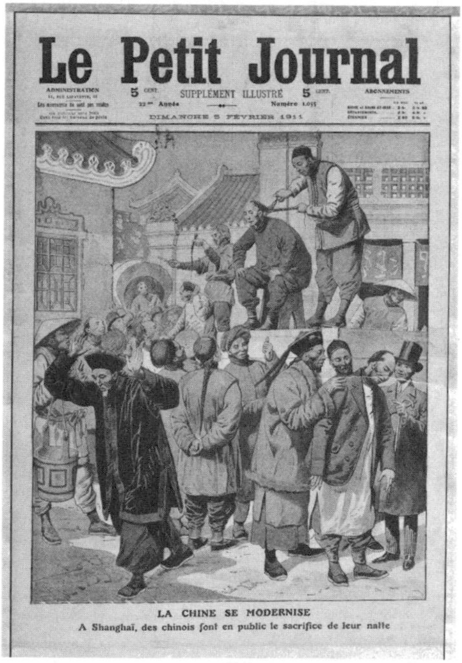

「頭髮」一向具有濃厚的政治象徵，此為法國雜誌於辛亥年（1911）刊出發生於上海街頭大規模剪掉髮辮的情景。「剪辮子」一事很獨特地同時成為兩岸現代化的象徵。

1949與兩岸儒學

儒學超越政治，以儒學規範兩岸，不是以兩岸規範儒學。

梁啟超和櫟社社員合照，前排左起第五人為梁啟超，第二人為林獻堂。1911年是新舊時代的轉折年，不管就政治或就兩岸儒學來說，皆是如此。

在台儒家與渡台儒家[1]

一

在台灣，從「百年人文」的角度談台灣儒學，我們馬上面臨的挑戰是：為什麼是從一九一一年算起，到今年（二〇一一）恰好百年。為何不是從一九〇二的林少貓事件開始算？要不然，為什麼不將起點延到一九一五年的噍吧哖事件？一九一五年的噍吧哖事件和之後一九三〇年發生的霧社事件，以及霧社事件之後一九四七年發生的二二八事件，同樣是台灣史上重要分界點，為什麼不從這三個歷史分界點立論？

1 此文為2011年5月4日於台師大舉行的「民國百年文化省思論壇」之發言稿。

如果我們將「台灣」代之以「中華民國」，問題就很清楚，這樣的百年是和辛亥革命、民國肇建這場大變革綁在一起的。百年前發生的辛亥革命是秦始皇統一中國，改封建為郡縣之後的大變革，它的影響由制度衍生到價值規範（如君臣一倫自此消失不見），這場革命自然該紀念，國科會的「百年人文」之說也是從「民國肇建」這個觀點立論的。但本場演講將指出：即使純粹從非政治意義的台灣的觀點看，「百年人文」仍然非常值得談，台灣的儒學史也有百年的脈絡。國科會主辦的「百年人文傳承大展」是以一九一一及一九四九兩個時間點為軸心，這兩個軸心點被當作轉動中國現代史行程的轉折點。很湊巧地，這兩個點也是我們今天討論百年台灣儒學史的兩個關鍵性的時間點，這兩個時間點即為一九一一梁啟超一行人的入台及一九四九新儒家的入台。

為什麼在台灣百年的儒學發展中，一九一一及一九四九這兩個時間點特別重要？這兩個時間點所以特別重要乃因有上述兩個重要的儒學事件發生了，這兩樁儒學事件都是島內與島外儒學因素加乘的結果所致。事件不會憑空生起，一九一一及一九四九的時間點可以說是偶然的，但未必沒有主導的原因可談。事件是多種的運會匯聚的結果，首先，乃因一九一一與一九四九的台灣都處於山雨欲來風滿樓的緊張時刻。一八九五年《馬關條約》簽訂以後，輿圖改隸，台地成為棄地，台民成為棄民。台民以無罪之身代全中國受過，內心當然不服，所以武裝反抗不斷，但都失敗了。一九一一年時，島內瀰漫一股無奈、徘徊的氣氛；而對岸中國又正處於帝國瀕臨爆裂的引爆點，無力支援台灣。台島上空烏雲密布，卻又密雲不雨，何去何從？台籍知識人焦慮地等待未知的命運逐步地逼近。一九四九年的情況更明顯，台灣面臨世界史意義的共產革命的前沿，我們下面馬上會碰到這個案例。

其次，儒學事件所以發生，總要有當事人。台灣漢人經過三百年來的發展，到了清末時期，已慢慢有「士族」的階層出現，這些「士」是後來的知識人的前身。改隸前後的島內知識人基本上都受過儒家的基礎教育，他們是寬泛意義的儒者，他們的行動遂帶有重新定位儒家價值體系的用意。在一九一一及一九四九這個天翻地覆的時刻，他們都不得不做出重要的選擇。第三當然是要有適時的引爆點，事件才可形成。因為一九一一及一九四九這兩個時間點都有大陸來的儒者進入台灣，在台灣內部引發了不小的效應，這股效應遂形成具有指導方向作用的思潮。一九一一年的來台儒者是梁啟超、湯覺頓及女兒梁令嫻等人，一九四九年則是規模更大的儒家社群。就哲學學者而言，唐君毅、牟宗三、徐復觀三人可為代表，如果廣義而言，這個名單還當包含錢穆、陳大齊、于右任、溥心畬這些同情儒家的知識人。

第二點的台灣知識人指的主要是以櫟社成員為代表的知識人，櫟社是日治台灣代表的詩社，它的成員從初期的林朝崧、賴紹堯、傅錫祺、陳懷澄、林幼春、林獻堂等人延續至下一代的莊垂勝、葉榮鐘、張煥圭、洪炎秋、許文葵等人。櫟社是文人組織，這種形式的組織往上可以追溯到明季的東林黨、復社、幾社。櫟社人物所以可以視為台灣儒林的代表，並非意指他們是思想深刻、著述成林的儒教哲學家，他們當中沒有一位符合現代學院的標準。我們是從更寬廣的漢文化的角度著眼，認為他們在儒教文化圈的氛圍下長大，一生行事承載著濃厚的儒家價值體系。林獻堂〈步鶴亭社長見示原韻〉所謂：「總角入塾時，所學皆希聖。」櫟社這些詩人的教育背景大概都是類似的。

我們在台灣談儒學，不能不正視台灣是新興的移民社會此一基本的性質。在百年之前，台灣由於經過晚清劉銘傳的現代化改革以及日本帝國主義帶來的「文明化」措施，台灣在經濟上應該有領先內陸各省之處。但台灣比起中國各省，甚至比沿海的幾個大島，如海南、崇明、舟山、廈門來，它的開發很晚，它參與文字傳統記載的歷史也偏晚。雖然當荷蘭人第一次在台灣建立有效的統治權以後，也就是自一六二四年以後，台灣介入中國史、東亞史甚至世界史的速度就很快，涉入也很深。也是自荷蘭人在台灣建立禮拜所以後，台灣即有文教可言，爾後的明鄭、清領時期，台灣的文教事業也不能再說不發達。然而，到底台灣這塊島嶼開發的歷史短，移民東渡台灣的時機、性質也不同於永嘉大世族的南遷，或二戰時猶太民族大規模地逃往歐美，清領晚期前的台灣社會基本上沒有形成具規模的士之社會，因為缺乏相應的物質條件。

由於台灣社會缺乏有力的士人文化，所以就像許多移民社會一樣，移民社會內部的思潮通常是由外面引進的，而不是內發的。南洋華人社會所以在十九世紀末二十世紀初會有較明顯的現代性的文化運動，基本上也是黃遵憲、康有為、孫中山等人引進新思潮所致。之前的南洋華人社會，找不出幾位名氣響亮的學者、詩人、畫家。但換另一種角度看，外來的思想力量所以得以在移民社會內部生根，無疑地是移民社會也有其適合成長的文化風土，兩相配合，乃成事業。台灣和南洋雖然同樣都是較晚興起的新移民社會，閩、粵移民大約在同一段時間，分別向海外這兩個大區塊遷移。但兩相比較，台灣累積的文教力量還是較雄厚，它引發文化化學反應的成分較為濃密，我看台灣百年儒學的發展，即是從此觀點著眼。

霧峰林家是一九一一年儒學事件的主要參與者，他們在此年迎接當時中國最具思想前瞻性的梁啟超入堂，由此改變了台民運動的方向。以林獻堂、林幼春為代表的櫟社群體是近代台灣儒林的代表，他們所屬的霧峰林家則是近代台灣史的縮影。他們的先人林文察做到福建陸軍提督，是當時台人仕宦至最高位階者，他是員梟將，我曾見到左宗棠手札冊頁，他非常讚美林文察的能力。在台灣史上著名的林文察與丁日建之爭中，他明顯地袒護林文察。林文察的部隊據說不少台灣原住民，他後來戰死於漳州萬松關。他們的家族還有林祖密，是孫中山的革命同志。還有林朝棟，他在中法戰爭以及乙未抗日初期，都出過大錢、大力。霧峰林

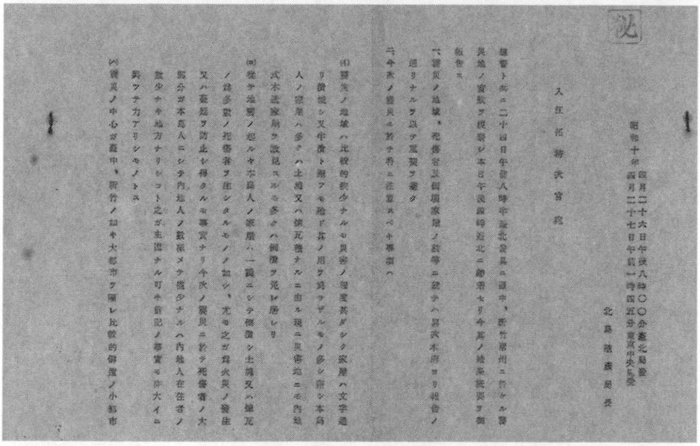

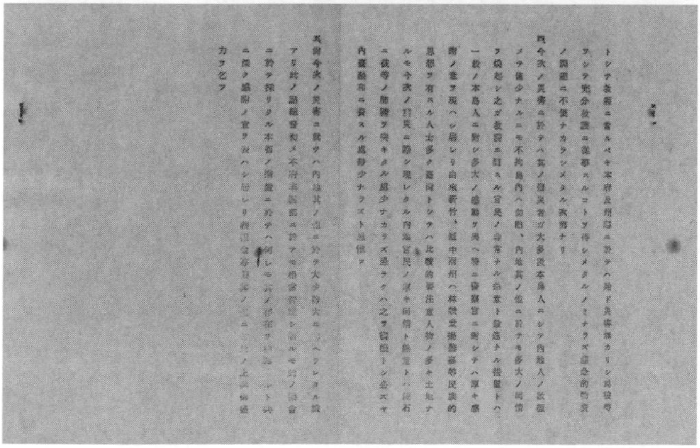

昭和十年（1935）4月21日台灣中部新竹、台中發生大地震，照片為豐原墩仔腳一位望族的住屋之受災情形。兩頁公文則顯示日本當局要日人踴躍賑災，以免招來「林獻堂、楊肇嘉等」民族主義分子的抨擊。可見其時林獻堂等台灣士紳的影響力。

家到了十九世紀末，已慢慢「消殘去殺」，儼然有書香世家之勢。霧峰林家到現在還有林壽宇、林明弘這樣出色的藝術家。

從家族的傳統看，林獻堂等人會走上民族自救之路，這是非常明顯的。清大文物館籌備處有份日治時期北島殖產局長回覆台灣總督府的密件，內容是有關昭和十年（一九三五）四月台灣發生大地震之事，殖產局長要總督府當局及島內外的日人踴躍捐獻，以免落為林獻堂、楊肇嘉這些台灣民族主義者的口實，可見當時林獻堂等人給殖民政權帶來多大的壓力。然而，林獻堂這些台灣儒林人物所以在台灣歷史上占有特殊地位，一方面固然在民族抗爭，但更重要的，可能是他們找到一種新興的抗爭方式——代議政治。在一九一一年農曆二月二十八日那天，梁啟超到了台灣，和台灣反對運動人物頻頻聚會，他勸導的議會路線爾後成為台灣政治的主流，從日治到國府白色恐怖時期到解嚴到現在，台灣慢慢走向了議會民主，也走出了像樣的格局。一九一一不但對大陸中國意義極重大，此年也是台灣政治運動史上的關鍵年。

梁啟超的台灣之行是台灣史上的一則傳奇，很多書都記載林獻堂、甘得中等人如何在奈良旅社裡巧遇梁啟超，這種巧遇比小說的情節還感人。我去過奈良幾次，一直很想找到梁、林等人會面的旅社，但不管是春櫻爛漫或秋楓飄紅時節，始終找不到線索。梁啟超的感人還不僅他們在奈良口談兼筆談的一席話：「本是同根，今成異國，滄桑之感，諒有同情……今夜之遇，誠非偶然。」梁啟超於農曆二二八（另一個二二八事件）從基隆登陸以後，他的詩歌反映的充沛的情感更使人聞之落淚。很多老一輩的台灣知識人如已故的台大中文系教授黃得時先生都能背誦其詩，可見其影響之深。

如果還有論者懷疑梁啟超台灣之行的作用，不妨參考黃宗羲的《明夷待訪錄》、唐甄的《潛書》、王船山的《黃書》，這些書對辛亥革命前的知識人影響極大，這些書也是儒家政治哲學發展的極致。它們對專制政權的批判，對人民當家的呼喚，即使到了今天，仍有意義，其書的字字句句也都仍保有理論的熱度。但怎麼辦？如何找出合理的政治形式，走出中國秦漢後大一統政治的窘境，這幾位偉大的儒者至此窮矣！這個「窮」字爾後還會連續兩百多年，有心人士一直找不到出路，林獻堂等人也是如此。可能因為身處在異族統治之下，所以這些台灣的儒者受到的壓迫是雙重的，他們的內心更是苦悶。梁任公的議會民主之言，對尋找出路的台灣儒者來說，無異「披雲見青天，慰我饑渴腸」（林癡仙詩）。葉榮鐘的巨著《日治時期台灣民族運動史》以梁啟超來台作為自救運動的元年，全書從此一事件開始鋪寫，有識之士多認為其著眼點甚高，極富史識。

二

一九一一年後的台灣民主社會運動當然不能只以代議政治概括之，由於殖民統治者的議會殿堂給台灣人民開的門縫很小，沒有幾個人可以躋身通過那扇窄門，所以其時的代議政治有嚴重的局限。街頭運動、群眾動員這種左派運動的方式不能不起來，從林獻堂到蔣渭水到謝雪紅，台灣的政治運動有越來越左的趨勢。然而，在正常情況下，我們很難相信有可以取代代議政治路線的另外一種運動方式。隨著台灣社會日漸成熟，梁啟超、林獻堂等人主張的議會路線之作用將會愈發明顯。

從一九一一年到一九四九，中間隔著台灣光復與二二八這些重大的歷史事件，其間值得細究的事情不少。但從台灣儒學史的觀點來看，我認為最重要的內容是一九四九年隨國府南遷的一些重要知識人到了台灣，尤其是以牟宗三、徐復觀、于右任、溥心畬、傅斯年、梅貽琦為代表的這群人。其中以牟宗三、徐復觀為核心的新儒家更值得重視。我相信一九四九年在台灣儒學史上的一項重大意義，當是從此年開始，儒家傳統與自由主義將會在民主政治上的實踐，初步完成整合。晚年傅斯年與晚年殷海光的思想轉向就是明顯的指標，他們已不再將討論仁義禮智的學者當作論敵。不但如此，他們還在古老的儒道傳統中發現到民主、自由的因素。殷海光罹患癌症，走到生命末期時，對莊子自由精神的禮讚，尤其令人動容。其次，當是島內的儒家傳統和大陸的儒家傳統也完成了整合，新儒家在台灣找到落實的立基處，台灣儒家實踐傳統也在大陸新儒學的挹注下，深化了儒學的內涵。

在一九四九渡海來台的儒林人物中，徐復觀先生扮演非常獨特的角色。徐先生在大陸時期，即曾參與最高當局的幕僚工作，來台後，他成了國府的邊緣人物，在學術上，他與當令的留美知識人也有相當的差距。而不管在政治上或在學術上，當時的台北都是中心，他別無選擇，只能落腳台中。但正因為落腳台中，長期處於權力中心外，他反而完成了歷史的功能。因為正是在台中，一位島外的政治失意人遇見了一群島內政治的失意人，而他們又懷有共同的情懷，對文化傳統與民主政治的結合也有共同的承諾，民國新儒家的潮流很奇特地匯入冷戰時期的台灣思潮，完成了連當事者都始料未及的整合。

徐先生到台灣來的那一年，原來在台灣扮演過民族自救與民主自救的島內反對人物正處於空前低潮的階段，他們的挫折源於光復後對國民黨政權施政一連串的失望。這批台灣反對運動的中堅相當大的一部分聚居在中台灣，他們以林獻堂為中心，形成一個具有獨特歷史位置的團體，從櫟社到台灣文化協會到台灣民眾黨，他們的結社跨越了舊時代文人與新時代知識人的組織型態，他們完成了歷史階段嫁接的工作，其運作特別值得留意。在日治的半個世紀間，他們的奮鬥始終與結社解不了緣。他們的結社就形式而言和明清時期以及清代台灣時期諸多文人結社吟詩的情況沒有兩樣，但櫟社這些人的政治意識很強，就文人結社帶有政治性這點而言，櫟社和明中葉以後的東林黨、復社的性質更為接近。事實上，明鄭時期來台或往返台閩的徐孚遠、沈光文、盧若騰等人與當時的復社、幾社都有密切的關聯。櫟社以勝國遺老自居，他們紹述的典範就是徐孚遠、沈光文這批「海外幾社」的前賢。櫟社的精神可說是繼承明末東南半壁山河的反抗運動而來。早期台灣銀行編纂台灣文獻時，其中即有黃道周、翟式耜、張蒼水等明末抗清運動中堅人物的文集，這些人未到過台灣，但他們奮鬥的意義卻與明鄭政權存在的意義密切呼應。南明亡於何年？這個問題似乎會因政治立場而有各種不同的答案。但我認為從台灣的觀點看，我們不能不堅持永曆二十二年（一六八三）施琅入台，南明一線才告斷絕。在此之前，明代遺民、遺臣仍用明代年號紀年，仍用明代衣冠穿著，仍在天壤間保有一塊不服從清廷的領土，大明何亡之有？台灣銀行諸君子的選擇，可謂有識。

林獻堂這些台灣先賢和明末反清人物的心境與作為頗有相應之處，他們始終懷著南明情結。但到底歷史處境不同，他們的心境可能更為坎坷，而不像黃道周、翟式耜、張蒼水那般履道從容，最後從容就義。這些明末大儒即使受苦受難，其人格仍是直上直下，毫無委屈。福澤諭吉曾稱呼處於江戶日本與明治維新期日本的明治知識人（包含福澤諭吉自己）為「一身經歷兩生，一人具有兩身」，林獻堂、林幼春他們可以說是「一身經歷三生，一人兼有三身」，他們無由選擇地從大清臣民變為大日本帝國臣民再變為中華民國國民。從大清臣民變為日本帝國臣民，他們的處境或許和黃道周等人近似，但從日本帝國轉換為中華民國國民的尷尬處境，卻是明末抗清人物沒有面臨到的。因為正是在光復成功之後，他們與同為漢民族政權的國府的衝突，才爆發出來。衝突的高峰當然在二二八事變，也在陳儀。陳儀與二二八是整個複雜過程中的兩個特別顯目的符號，問題當然不能簡化，它是整體結構的。

徐先生和經歷三生三身的林獻堂不太有互動的機會，但和櫟社第二代那些經歷二生二身的反對運動人物如莊垂勝、張深切、張煥珪、葉榮鐘、郭頂順、林培英、楊逵則頗有交往，其中和莊垂勝以及葉榮鐘的關係尤為深厚。徐先生當時和大台中地區知識人交往的熱絡，出乎人意料。我曾透過葉榮鐘一九六七至一九六九年的日記，總計這三年的日記裡直接提到徐先生名字的次數達到六十四次，大部分都是聚會。徐先生與中台灣本地知識人的聚會的規模不小，徐先生常和同一地區的外省知識人如孫克寬、陳定山、彭醇士等人一齊參與，本地的知識人則包含上述那些人物。曾聽徐先生的學生洪銘水教授說過：徐先生是抱著兄弟般、彌補往日錯失般的心情，以溝通兩組不同語族的情感。從二二八事件以後，台灣居民在心態上可謂一國兩制，氛圍始終尷尬。徐先生當時未曾擔任一官半職，他不需要承擔國民黨施政之失的責任，但他在情感上覺得需要這樣做。觀徐先生一生的行事，我相信洪教授的說法應該接近事實。

在五四甚至後五四的那一代（如早期殷海光所代表者），儒學常被視為封建意識型態的保衛者甚至是創造者，這種聲浪現在當然小多了，主要是台灣政治轉型大體成功以後，文化土壤已經不一

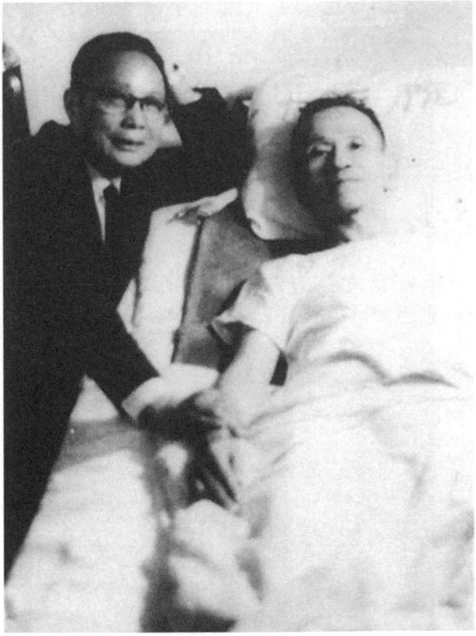

徐復觀探望臨終前的莊垂勝之合照。莊垂勝名微而人品甚高，是徐復觀最親近的台籍友人之一，他們兩人的交往是台灣文化史上的一段佳話。（此照片徐均琴提供）

樣。然而，我們如從台灣的角度看，我們完全有理由從另一種角度看待儒學與民主的關係。在日治時期的台海兩岸，甚至在當時的中國本土與海外華人之間，儒學的形象與功能大不相同。當五四反傳統的英雄如吳虞等人物號稱以隻手打倒孔家店，虎虎生風時，在台灣的林癡仙、洪棄生、林獻堂等人正以漢文化抵抗大和民族的文化統治，僻處更為海外的陳嘉庚、林文慶等人則正以孔孟文化維護在英殖民統治下的文化認同。當人民革命軍占領中國後，反傳統的火焰繼續燃燒，並在文化大革命階段，火焰燃燒到最高溫時，被逼流離到海外的港台的新儒家則以延續文化道統，接續民主新政統為己任，開創另一種格局。

海外新儒家在哲學上的貢獻已經是當代哲學史中無可懷疑的一章，但新儒家對民主政治的貢獻，卻沒有受到應有的重視。在民國百年之際，我們完全有理由說：徐復觀、牟宗三先生對民主理論的貢獻絕不下於自由主義者，儒家的政治理論一直要到《學術與政治之間》、《政道與治道》先後出書後，糾葛兩千年的政權與治權的分際才告釐清。老實說，如論民主理念的傳播，胡適、殷海光、雷震等人的貢獻是無可比擬的。但如論在政治理論上的建樹，我認為新儒家的貢獻更大。

即使落實下來談新儒家學者對民主政治的實踐，我相信新儒家和自由主義者的貢獻應當也是平分的。在一九四九之後的台灣，新儒家對自由主義的文化解釋常有褒貶，但對自由主義的政治主張則始終是堅強支持，一種反西方現代性的「東方民主論」在新儒家內部也始終沒有市場，新儒家在政治上的開放性是台灣儒學最珍貴的資產之一。我們不該忘掉張君勱的憲法成就，也不該忘掉徐復觀在台灣反對陣營裡扮演的角色，他們的事蹟的重要性不見得是其他文化陣營所能比擬的。尤其徐先生努力的溝通本土文化人士與新移民的大陸知識人之間的距離，並連結了戰前台灣與戰後台灣的文化轉型與民主實踐的工程，其影響之大更是難以言喻。隨著台灣政治日趨成熟，其作用也會日益顯著。

談百年來人文學術的發展，我們不能只有中原的觀點，而當正視台灣的文化脈絡。一言以蔽之，百年來的儒學在台灣始終扮演的是抗議者兼建構者的角色。在日治時期，它抗議的是大日本帝國政府；在一九四九年之後，它雙面抗議，一方面它抗議的是當時一面倒向馬、恩、列、史的中華人民共和國政府，一方面抗議的是實行戒嚴法的中華民國政府。在日治時期，儒學要求的是代議政治；在一九四九之後，儒學要求的是完成以往的儒學始終開不出的民主政治。百年來的台灣儒學明顯地具有抗議的民主的性格，它有很頑強的草根性，但這種草根性卻有很大的開放性，它是由在台儒者與對岸的來台儒者共同塑造成的。

兩岸三地：新中國與新台灣[1]

一

中國共產黨說：一九四九之後有了新中國，共產黨如此說，世界也如此說，共產黨界定了一九四九之後華人地區的歷史圖像。但這個圖像其實不準確，共產中國不等於完整的中國，殘缺的知識圖像不但容易以偏概全，見於行事，更容易由偏差導向大誤差。

一九四九以後確實有了新中國，新中國的社會面貌和舊中國迥然不同。但我們同樣有堅強的理由說：一九四九以後也有了新台灣，一九四九以後還有了新香港。

1 2015年6月9日國立中正大學中國文學系召開「乙未仲夏清談沙龍——台灣位置：從民國學術到新儒家」座談會，本文根據當日發言構想，重新改寫而成。

一九四九創造了一個現在仍在有效運用的新名詞「兩岸三地」，「兩岸三地」是新的知識範疇，它孕育出一組以往從未出現過的新知識體系。兩岸三地的每一地都可以一九四九為分界線，切割前後兩個不同的歷史階段：新中國—舊中國、新台灣—舊台灣、新香港—舊香港。

「兩岸三地」是特定歷史下的產物，此詞語在共和國的鄧小平南巡宣布改革開放後開始流行，但此詞語的實質內涵卻產生於改革開放之前、一九四九之後。一九四九兩岸大分裂以及隨後形成冷戰體制，兩岸三地各自的歷史開始結構化，它們各自在自家歷史條件的限制下，摸索自家的未來，三地共同參與了一隻看不見的歷史之手所提供的實驗。本來，國家很難用實驗室的隱喻加以理解，歷史的行程也很難用生物學的實驗加以聯想，但一九四九之後的兩岸三地的歷史實驗之說卻不是無稽之談，因為冷戰體制帶來恐怖平衡，恐怖平衡帶來歷史行程的結構化。結構化的時間形塑了結構化的政治空間，這樣的政治空間雖然仍不夠寬宏，但已足以令三地人民（或政黨？）依藍圖打造未來。

歷史原來不這樣醞釀的，「兩岸三地」是體外受孕的產物。香港早就是殖民地，是近代中國受辱的象徵，任何中國政權早晚都想收回的；台灣則是中共眼中未蒙革命聖恩的島嶼，它的反動也是早晚要解決的。如果歷史可以重來，比如中共如果不「一面倒」地倒向蘇聯，如果中共不參加韓戰，如果中共好好地善待司徒雷登這顆棋子，「兩岸」一詞可能只是地理名詞，而不會是政治名詞。火辣的「兩岸三地」這個詞語也許永遠不會再來——不是再來，而是根本不會出現。但一九四九這條歷史線鎖死了歷史的進程，原來懸在該地的歷史殘留問題遂得以更詭譎而聰明的方式，提供了另類思考的出路，我相信：另類思考的出路也許可以提供另類出路的思考。

近代中國（其實該說近代東亞）的歷史是濃縮的歷史，它將西方幾百年的發展壓縮在一個異文化的空間裡展開。一八四〇鴉片戰爭的炮火打亂了東方歷史原有的節奏，爾後東方各國都在救亡圖存的壓力下，補課、急診、轉院、看遍名醫，太短的時間內壓進了太多的內容。近代中國掌權的任何政權其實都沒有作好準備才上台，它們都患了瘀、鬱、滯、澀之症，都病急亂投醫，難以安定下來施政。一九四九之後，雖然戰爭的氣息仍在醞釀，也有局部的戰炮聲響（如金門炮戰）從遠方傳來，但基本上東線無戰事，大中國地區難得地向歷史借來時間，分化了空間，兩岸三地人民成了歷史理性的工具。他們在不完全熟悉歷史的全貌下，分別摸索（或分進合擊地摸索？）自己的未來。

就像近代全球各地區的情況一樣，近代中國的主流思潮也是三種思潮的悲歡離合。自由主義（經濟的及政治的）、社會主義是普世的政經思潮，它們以邪惡的孿生兄弟之姿，遍布在全球的每一區域。而在地的文化傳統面對新興的思潮，或迎或拒，也自然會成為鼎足的一股力量。在華人地區，文化傳統主義主要是以儒家傳統的面貌出現，雖然儒、釋、道是構成華人地區的主流思潮，三教面臨同樣的歷史處境，但儒家因為入世性格最強，它對西方文明的回應因而也最具有典型的意義。中、西、馬（馬克思）或新儒家、自由主義、社會主義此新三統的關係遂成了我們觀察現代中國歷史行程的有效的理論工具。

兩岸三地的歷史條件不一樣，實踐的方式也因而不同。人民共和國在中國本土實踐以社會主義改造中國的承諾，三反、五反、人民公社、文化大革命都是中國歷史上未曾出現過的產物，新中國實驗的是非成敗將無可避免地成為後世永難忘懷的借鑑。香港以極特別的殖民地身分成了東西兩大集團溝通的界面，創造了新形式的資本主義社會，「港都城邦」的香港（或許加上新加坡）模式是極令人著迷的知識之謎。敗退到「自由中國」的國民黨流亡政權則不得不兌現它允諾已久的現代化，台灣展開了中國近代史上真正有意義的文化傳統主義與自由主義融合的過程。從一八四〇年鴉片戰爭至今，差不多已歷三個甲子的歲月了，大中國地區何曾有段寧靜的歲月可以提供理論滋長的養分？除了最近這一甲子的歲月外，建設的時間與建設的空間可以說不曾存在，歷史條件的限制是很殘酷的。一九四九以後，主導這三地區的意識型態差異極大，最後的格局也如此不同，韋伯所說的「諸神的戰爭」，其複雜也不過如此。有隔

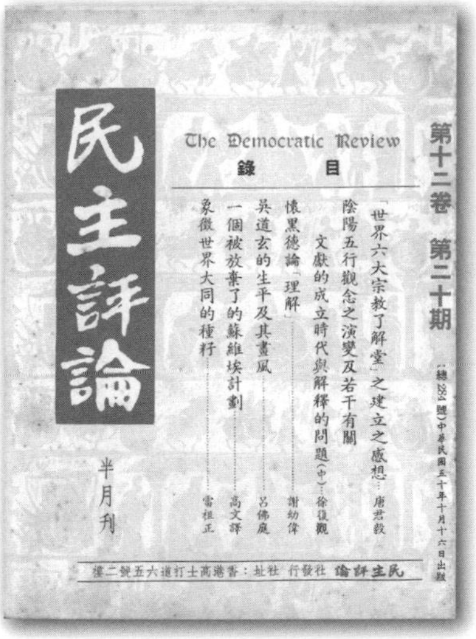

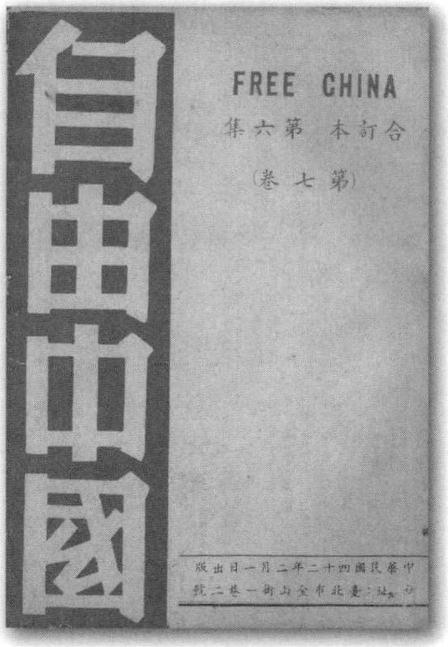

文化傳統主義者1949後在海外辦《民主評論》，自由主義者則辦《自由中國》，這兩本雜誌分別成為兩大陣營的輿論基地。這兩本雜誌的名稱反映了其時海外知識人對時局的要求。

絕的時空，有引導性的理論模式，有足以檢證的數據，不稱作「實驗」，我們要如何稱呼？

二

在二〇一五年反省兩岸三地的時間點和在一九四九年時的反省不該一樣，一九四九時哪有「兩岸三地」一詞發展的空間！因為立足點不同，經過這一甲子多的歲月，兩岸三地都發生過極激烈的變化。如果上天在慘烈的對日抗戰與解放（剿匪）戰爭後，給與兩岸三地人民這段和平的歲月還有意義的話，我們不能不追問：這段可堪稱「歷史實驗區」的經驗到底有何意義？我相信從新中國或新香港的角度看，大概都可以有不同的解釋。但台灣的經驗也是可參考的，從舊台灣到新台灣，總有些獨特的內容是以往所沒有的，此新台灣之所以為新。由於新台灣與新中國是平行實驗的對照組，新台灣的內容對爾後的「新新中國」或新中華文明當然也有深刻的對照意義。犧牲者的血不能白流，舊往的歷史業力需要以爾後的歷史豐收加以彌補。

「實施民主」是1949之後台灣內部最重要的歷史動力，是「新台灣」的內容。這兩張照片是台籍半山系頭頭黃朝琴戰後返台競選的照片，黃朝琴後來長期擔任台灣省議會議長。

我個人認為新台灣經驗最值得重視者，當是新儒家與自由主義完成初步的整合，新儒家要求的民主自由的體制經由與自由主義者「反經合道」般的共同奮鬥，在台灣落了戶，生了根。自由主義者以往頗忽略甚至頗誤導的文化傳統與民主的關係在殷海光晚年的最後定論，或在一些曾被忽略的自由主義知識人如周德偉的論點重新被認識後，儒家與自由主義已不再是矛盾。甚至於不該用消極的「不再矛盾」一詞表之，而當是說：兩者有極緊密的關係。一種民主制度所提供的消極的自由與一種文化傳統所提供的後習俗理性的社會自由將會是台灣人民爾後政治生活的主要內涵。

民主自由的制度無疑是近代西方提供給中國的，然而，沒有任何理由認定新儒家與這種制度的結合即是對西方現代性的繳械投降。大陸的一些儒家研究者或儒家同情者有意無意間，總認為港台的新儒家不夠「純」，對西方讓步太多。我認為事實絕非如此，歷史的發展如果有理性的意義，或理性的彰顯如果需要歷史的載體的話，發展即是朗現，外在因即是內在因，沒有讓不讓步的問題。事實上，作為東亞千年來主動力的理學思潮從北宋以後——此時期也是內藤湖南所說的東亞現代性的開端，就一直想給偉大的堯舜傳統落實的機制。從范仲淹的四民論、北宋諸儒共同提倡的性善論、朱子以堯舜傳統為核心內涵的道統說、到黃宗羲的《明夷待訪錄》、唐甄的《潛書》，還可往下一直延伸到民國的熊十力、梁漱溟的革命說，以至於一九四九海外新儒家的新外王論，其關懷始終是一致的。假借伊藤仁齋的語彙，我們說這個過程有「血脈」，一種尋求理性的政治制度是內在於儒家的精神要求的。而理學家所提供不斷進行消納與創新歷程的體用論，絕非僅於哲學家的玄想，落到二十世紀以後的世局考量，此一模式仍可用來解釋「舊邦」精髓的儒家如何吸收「外來的」自由主義，藉以豐富自家體質，其命維新。

我們看歷史的演變，在莽蒼蒼、黃滾滾的歷史潮流中，看到歷史的方向，這種「看」（see）與「看到」（see as）的結構當然是詮釋的結果。但歷史是人文的載體，歷史不是非關人文的時間之流，「看」與「看見」的結構不會是概率的，獨斷的，人見人殊。相反地，只要人創造的學問即有人的理解的問題，維柯（Vico）的觀點一點都不過時，沒有「洞見」即看不見。如果說「中國的現代性」或「東亞的現代性」有意義的話，宋代新儒家的興起帶來的「道在人間展開」之需求不能不說是重要的方向。由佛教的解脫精神之中世紀進入儒家的倫理精神之近代，同時在近代的歷史行程中尋找理性在政治領域的合理化，這樣的歷史方向是存在的。建立民主機制乃內在於近世歷史行程的目的，這種「見」不僅是新儒家的觀點，也是日本漢學的京都學派孕育的觀點，而且不要訝異，事實上，連胡適都贊成的。公平的說，真正的胡適對理學的同情與評價遠比民國新儒家學者所以為的胡適要高許多。

新台灣的文化發展以儒家的體用論消納了民主制度的建立，在理論上完成了兩者的整合，其意義不僅可放在千年來中國現代性的脈絡下定位。我們可以拉得更遠，挖得更深，我們有理由說：儒家的堯舜傳統也要在民主制度的建立中才初步得到朗現。在《書經》這部偉大的儒家政治經典中，〈堯典〉是開宗明義第一篇，帝堯是以禪讓的政治形式、「克明峻德」的道德主體、禮樂倫常的社會生活體制，作為人類生活的大本大宗的。「堯舜傳統」是中國文明的原型，是禮樂文化的大憲章，是主導中國歷史行程的理之力，範之本。孔、孟、荀都「祖述堯舜」，《論語》、《公羊傳》、《荀子》最後一篇都以堯舜傳統終結。

《公羊傳》是中國兩千年來政治漩渦的渦心，此書最後一節「西狩獲麟」提到：「堯舜之知君子也，制春秋之義，以俟後聖，以君子之為，亦有樂乎此也。」這段話也是全書的結尾。《公羊傳》帶有濃厚的祕傳的訊息，「西狩獲麟」一節尤有啟示錄的風味，「宣尼悲獲麟，西狩泣孔丘」（劉琨〈重贈盧諶〉詩）是中國歷史最大的謎團之一。然而，《公羊傳》結尾這段話卻是既晦而顯，既澀也白。此書認為春秋大義在期待「後聖」能行堯舜之道，不是昭昭然清楚得很嗎？歷史的目的要「後聖」出來行堯舜之道，而堯舜之道的主要內涵見於《尚書》開宗明義篇所顯示的禪讓政治，圖像不是一樣很清楚嗎？清代學者如徐繼畬讚美華盛頓，能天下為公，有如今之堯舜，其說不正是《公羊傳》的意思嗎？「天下為公」正是《禮記．禮運》篇對堯舜之治所下的定語，一定永定。東亞近世的漢學家如白鳥庫吉、如《古史辨》諸君子，不斷地解構堯舜，不斷地「考證」堯舜，考來證去，中國最重要的文化象徵卻被考進了歷史的灰燼裡，這是標準的見輿薪不見泰山。「拋棄自家無盡藏，沿門托缽效貧兒」，殺雞取屎，顛倒荒謬，莫此為甚！

歷史的終點即是歷史的起點，歷史的想像即是歷史的動力，「堯舜」的真實乃是超越歷史真實的真實。退一步想，「堯舜」縱然有可能只是理念，理念從來不是抽象的概念，它有血有肉地乃是歷代政權都要面臨的最大反對勢力。由於三代以下的政權都是家天下，家天下的政權不符合「天下為公」的理念，政權正當性的問題因此就不可能不出現，就不可能不是個問題，「政權如何正當性」一直是攪動歷代儒者內在生命最激情的因素。這種激情在歷代的黨錮、士禍中不斷冒出，它的衝撞永不停止，因為歷史沒有提供恰當的疏通管道，用以規範化這股無名的幽暗之力。只有找到恰當的政權產生方式後，政治理性化了，其沸騰的鮮血才會冷靜下來。新台灣發展出的民主制度雖然仍是青澀未化，但格局已具體而微，它卑之無甚高論，卻是至今為止，唯一可以處理政權和平轉移的機制。五千年堯舜傳統的第一步就是要走到這一步來，很弔詭地，新堯舜傳統的初階不需堯天舜日，不需誠意正心，它只要在體制上讓政治的主體回歸尋常百姓家即可——這是第一步。

三

然而，如果新台灣的新儒家與自由主義的結盟只僅於代議政治的建立，格局仍不夠大，一種新形式的堯天舜日、誠意正心還是需要的，「民主」的內涵不能僅於代議政治的制度。「自由主義」一詞在目前的輿論（如「新自由主義」經濟），或在某些文明（如阿拉伯文明）之所以淪為貶詞，不會沒有理由的。在全球各種的顏色革命陸續發生後，民主制度並沒有更鞏固，相反地，可以說搖晃得更厲害。即使連歐美這個胎生自由主義的母體，民主的價值也因新的經濟模式，或因大有問題的價值理念，而日益腐蝕。我們不得不慚愧地承認：即使中華民國這個幾乎是唯一擁有民主體制的華人國家，它也面臨和歐美國家類似的窘境。新台灣的實驗所以沒有獲得應有的評價，其因多端，但反求諸己，最大的因素應當還是我們的實驗並沒升級，我們不但沒有善加運用我們的新台灣經驗，我們還亂揮霍，任意作踐自己。不管於己，甚至於民主理念，幾千年的儒家的經驗都是值得珍惜的，我們事實上還有更多的資源可用。我們需要回到我們文明源頭的〈堯典〉去汲取初民於開天闢地時之洞見。

民主所以可貴，或者說：民主的實踐所以有的地區成功，有的地區失敗，絕不可能只是制度即可了事。就人文科學而言，凡是可形式化加以複製的模式通常比較容易達到，但通常也不穩固。一個會牽動到主體的建構因素以及社會的建制因素的大變動，我們很難相信：這樣的工程不需要更氣魄宏觀地定位而且更精緻微觀地處理，更簡單地說，民主要深刻，它不能沒有在地的文化風格，它不能不在文化的與個人主體的內在生命之發展與歷史的機遇之間完成銜接的工程。民主如果一直被視為非關傳統的「外部」因素，或說到浮濫的所謂的「普世價值」這種抽象的因素，它很難土著化，沒土著化的理念就沒辦法在地生根。民主制度在全球各地的命運所以大不相同，在伊斯蘭文化區域，幾乎帶來了滅頂的災難，相當大的程度，筆者相信和內、外因素沒有完成銜接的工程有關。

在全球各區域，東亞各國在戰後形成的民主轉型應當是較成功的一個板塊。在論資本主義模式時，「亞洲四小龍」的例子曾被提升到足以抗衡歐美模式的另一個模式。猶記三十年前，「儒教資本主義」之說蔚為一時的文化議題，Peter Berger、溝口雄三、蕭新煌、杜維明諸先生皆曾反覆論述之。今日反思其事，其義可以更為透顯。我們如果將戰後的「亞洲四小龍」往下連接到爾後中國實施開放政策後的「中國崛起」，再往上連結到戰前的「明治維新」後的日本模式，這條歷史之鏈長達一百五十年。東亞的資本主義模式似乎足以成型，因而也是足以成說。這個地區是漢字文化區，也是儒教文化區，「儒教與資本主義」的關係曾是一個，應該也還會繼續成為有意義的政治社會學的議題。

經濟的專業議題留給專業人士解釋，身為儒家的同情者，我們更有理由關心：我們文明母型的堯舜大憲章（堯典）如何介入東亞近世的歷史行程？它的論述如何轉化以適應新時代？進一步論，它又如何能夠豐富現代的民主生活？

民主政治很難不和個人的價值結合在一起，民主政治基本上是以「個人」為單位設計政體，從選票的設計到法律的規範，都是以「個人」作為根本的單位計算的。在當前時局中，由於民主政治的運作出了問題，「個人主義」一詞幾乎成了代罪羔羊，語感相當不好。然而，臉盆潑水不能連小孩都一齊潑掉了。「個人主義」一詞淪為私欲中心主義，淪為脫情境、脫倫理的自我中心主義，此傾向確實可鄙，而且確實已成為當代民主政治的惡瘤。然而，在民主社會中，精神的展現是以個體的面貌出現的，不管是英國消極自由傳統下所重視的法律意義下之個人，或是德國積極自由傳統下所重視的精神性之人格，個體都是凝聚點。羅素當然很重視個體的關鍵性地位，但康德、黑格爾在這點上和羅素等人的觀點是不必矛盾的。

儒家在歐美社會，長期以來，一直被視為是群體主義的，是缺少精神內涵的。黑格爾在批判中國文明的缺少精神性，在批判中國的政治只有一人是自由的，在揶揄地挖苦中國社會之普遍平等——因同樣沒有精神性之自由，在君王面前同樣卑微——可謂集大成。然而，誠如林毓生諸同情自由主義的當代學者都提到的另一種選擇，中國可以有自己的民主脈絡：孟子的性善說或王陽明的良知說都顯示中國政治可以將其運作的法則建立在人人平等、人人尊貴的性善理論上，性善論因此可從人格的平等主義演化成為政治主體的平等主義。清末改革派如梁啟超，或革命派如熊十力等人的思想中，孟子的性善論都占有重要地位，其原因當與孟子學的「政治轉折」之解讀有關。

「個人」作為政治領域最基礎的單位，除了康德式的、孟子式的那種人格概念外，我們不免想到：當代的民主生活之所以是可欲的，乃在它大概是所有制度中，最可以經由法令的保障，而且在基本上不妨礙他人的權利下，每位政治主體都可以充分地發揮自己獨特的潛能。然而，正如波蘭尼（M. Polanyi）一再指出的，這種法令式的自由所保障的個體性，如果沒有傳統、社會的權威等因素加以節制的話，很容易淪為自我中心，其人與世界不再有共感的能力。尤有甚者，沒有「形式」介入的自由將會導致社會的無政府主義化，綱常解紐，自由社會也終必失去自由。

如何使個體能充分地發展其天賦的特殊性，而此特殊又能保有與社會共感的能力，而不會淪為孤子的城堡之個人。想來想去，筆者想到最符合此兩難標準的人性論當是中國傳統所說的氣質之性。氣質之性一方面顯示人格的構造乃因氣所成，所以它具有氣所特有的那種特殊的精微之變化，剎那生生，而且人人不同。但氣質之性也因氣之流通於身軀內外，它又具有先驗的與世界共感的能力，人人相通。如不嫌犯有我族中心主義之嫌的話，我們有理由認為：「氣性」恰好不是畢來德──朱利安（于連）這些漢學家所擔憂的：它會帶來內在一元性的後果，使得中國社會永遠處在同一的軌道上面，無法突破。相反地，中國傳統的氣質之性因同具「特殊」與「普遍」兩義，它可以發揮「個人」之義至極精微的層次，東方文化特色顯著的平淡美學、幽玄美學或可從氣性一路尋得其發展出的軌跡。

如果依民主制度過民主生活已是我們這一代無可迴避的現實，我們不能不面對儒家在新台灣社會，也可以說在爾後的華人社會，它到底可以提供什麼樣的貢獻之質疑？當代民主社會的異化情況極嚴重，從佛洛姆（Erich Fromm）的《逃避自由》到黎士曼（David Riesman）等撰的《寂寞的群眾》，單單看書名，就可略窺一二，當代社會的異化情況早已是小說、電影一再重複的老朽議題。但不管如何老掉牙，事實就是事實，最近伊斯蘭國的血腥政治居然還可吸引一大批歐美國家的憤怒青年投身於其狂熾的宗教報仇之火焰，由此瘋狂也可見出當代民主社會崩潰的徵兆。如何面對孤立無感的主體，這已不是蛋頭學者在書房沉思的議題，也不是個人面對自我或上帝的修行問題，而是嚴肅的社會問題。如果借霍耐特（Axel Honneth）在最新的一部著作《自由的權利》的提法，即是除了消極的自由、反思的自由外，我們是否還有社會的自由？

筆者相信：有！儒家提供了極豐富的社會自由的資源，不但理論上如此，而且這個精神工程正在進行中。如前所言：一九四九後的台灣知識社群與台灣社會有種獨特的組合，此即自由主義文化與儒家價值的互滲，這樣的組合在大時代背景的驅力推動下，不以人的意志為依歸，它們形構了今日的台灣。千年來主導儒家的主體範式無疑地帶有濃厚的縱貫式之道德主體模式，陽明式的良知、康德式的道德主體很容易在華人社會生根。然而，同樣無可否認地，一種講究「相偶性」的倫理學，它或透過太極—陰陽氣化的本體論解說，主張相偶乃是內在於萬物的本質，有陰即有陽，有左即有右；或透過凡是人即當為人倫之人，即當於相偶中顯現主體，有父即有子，有男即有女，這是社會本體論的解說。相偶性倫理主張「之間」、「關係」的優先性，主張人的本質只有透過倫理關係才可確立。不用懷疑，這種相偶性倫理學也是深根於千年來儒學的系統的。不管理學或反理學，他們對相偶性的解釋容有出入，但同樣肯定其本真的價值則是一致的。

儒家的主體性不但重視人的相偶性，也重視人的世界性。同樣眾所共知，儒學的傳統中，仁與禮的關係一向極密切，密切到這兩個概念根本無從分割。禮作為總體性的文化價值體系的概念具有獨特的意義，禮者，體也，它先於個人的主體而存在，主體事實上是在禮的浸潤中成長、脫離、再和諧的，主體總是世界性的。在前幾年有關「克己復禮」的爭辯中，史家何炳棣先生透過史料的爬梳，對新儒家的仁說提出強烈的批判。何先生的考辨當然有助於重建孔子與傳統的價值體系之關連，但我們有很強的理由說：「克己復禮」的「禮」已不再是原初的文化傳統之體系，而是精神化以後更進一步的融合。亦即主體經由世界化的歷程後，其主體既是主體的，但也是世界的，它與世界共慼共榮，「禮」已被「仁」所滲透而深化。「克己復禮」的爭辯是需要仔細爬梳的，它的內涵其實就是有關人的「社會自由」如何可能的爭辯。

徐復觀說：「民主政治的自身，就是在政治方面一種偉大倫理道德的實現。」徐復觀的說法也是儒家的悲願。這種悲願的完成是需要提供「社會自由」的條件的，儒家恰好有這種條件：扎根於本體的道德主體概念、依附陰陽氣化而成的氣質性概念、相偶性的人性論、仁禮相化的人格論，這些概念在儒學內部都是存在的，而且都是很顯目的。儒家的主體概念和一種孤子的單子論主體南轅北轍。在多元化的社會中，一種不具備可處理人與人之間關係的道德，一種不具備可回應世界的主體，這些都是很難想像的。儒家的主體概念使得人的個體性、社會性與超越性同時具足，相互支援。在民主政治普遍面臨危機的時代，儒家這種主體概念應該可以在沉寂多年之後，應運而生。

如果儒家倫理在後民主社會可以勝出的話，新台灣的表現是否真的那麼稱職呢？就現實論，我不能不汗顏地同意：真的是問題重重。但我們如從一九四九之後的歷史實驗場域的觀點立論，「儒家的民主生活」應該就是新台灣的理念。理念當然與現實有距離，但理念就是要體現於歷史行程中的社會總體。原則上，新台灣的內容就當是在民主的制度內，個人的氣性可以充分發揮，一種精神化的主體可以承擔起責任的倫理，而這種主體同時又具備相偶性的仁與在世性的禮於一身。這是個與世共感的主體，它在本體論意義上的「開出」乃是現實實踐論上「銜接」的結果，但它的「銜接」又使得「開出」的主體更可以充分地體現「原初」的精神內涵。

退一步想，即使新台灣的成績距離理想遠甚，談不上儒家與自由主義的融合。代新中國計，或「新新中國」計，如果一個包容性更強、精神內涵更豐富的「新中國」或「新新中國」還有意義的話，它不可能跳過新台灣的實踐而不顧，它只能更充分地完善其未盡之志的。程明道在九百年前說過：「堯舜知他幾千年，其心至今在。」堯舜之心即是民主體制的建立，即是禮樂文化之社會自由的體現，即是個體、性體、群體的有機融合，我相信程明道復生，他會贊成我對他這句話的現代解讀的——即使堯舜本人復生，應該也會。

瀛島百年一任公[1]

韓良露女士在二〇一一年十二月十三日的「聯合副刊」上刊出了一篇力作〈在民國百年，我們豈能遺忘康有為？〉，文章可以看作一篇有深度的影評，但全文為康有為叫屈的熱情還是可以觸摸到的。今年時值辛亥革命百週年，又是民國建國百週年，這個局基本上是由革命黨人布下的，所以各種論述的主軸都圍繞著「國民黨革命」的軸線展開的。

紀念活動要有主軸，既然選定了「民國建立」的軸心，大體的論述架構就已經確定了。但本年的紀念明顯的是國家層級的，國之大慶如果只有革命黨的焦點，政治的焦點如果又太集中在少數政治明星上，這顯然不合理。韓女士為康有為抱

1 此文為2011年12月28日清大舉辦「紀念清大創校百年及梁啟超來臺百年座談會及文物捐贈儀式」之摺頁前言。

屈，台灣民間也有各種庶民版的百年回憶，吵雜喧鬧，聲光化電，這樣的疊層雜糅才是史華慈（Benjamin I. Schwartz）所說的創造性之曖昧。

但在台灣慶祝建國百年，有一位人物被遺漏了，這人是遺漏不得的，遺漏令人遺憾。一九一一年二月二十八日（一個傷心的符號），當時全世界華人社會的輿論驕子、愛新覺羅的超級政治通緝犯、同盟會第一號的論敵：梁啟超（任公），帶著他的千金梁思順（令嫻）以及友人湯覺頓，從基隆港登陸，展開為期十餘日的台灣之旅。台灣自一八九五年被迫割讓給日本以後，台人的前途如何？他們如何在異族統治下自處？十七年間，無人過問，他們的命運正如吳濁流所說的：「亞細亞的孤兒」。梁任公來台，不只是一趟旅遊，而是一趟奇特的運動經驗交換之旅，他給當時的台灣士人帶來極大的衝擊，相當大的程度影響了台灣政治社會運動的方向。葉榮鐘先生在他的名著《日據下台灣政治社會運動史》中，探討台灣人民日治時期的政治運動的始末，此書破題就是從梁任公來台開始談起。

面對半世紀的被殖民的歷史，台灣的政治社會運動形式形形色色，分類都難。葉榮鐘先生此巨著的切法卻非常俐落，他從一九一一年二月二十八這日一刀切，歷史從此翻到了另一頁。梁任公來台，影響所以那麼深遠，關鍵點在於他給台灣人民指出了政治運動的方向。甲午（一八九四）戰敗，清廷以無辜之台灣委讓給新興的日本帝國，台民明顯的是以無罪之身而代全國受刑。從割台開始，台民即不斷展開武裝抗爭，乙未（一八九五）之役是正式軍隊的對決——然其力量不成比例。乙未之後民族武裝抗爭依然此起彼落，一八九五—一九〇二年抗日三猛：簡大獅、柯鐵虎、林少貓；一九〇七年新竹的北埔事件，規模都不小；一九一五年的西來庵事件當然更加著名。鶴見祐輔在《後藤新平——台灣統治篇》此本傳記中，提及後藤新平在治台期間，台灣「土匪」被判死刑的有八千零五十五人，實際上，有統計顯示其人數更高達三萬二千人。這個數字可想見的，實際死亡人數

「台灣文化協會」是日治時期台灣文化人的運動團體，照片不知攝於何年，亦不知何事集會。台北古董攤流出。

只會多，而不會少。我曾收集過日治時期日本在台軍警的一些書信，閱讀過後，籠統的印象就是：「土匪」為什麼那麼多？當時日本軍警的主要任務就是剿「匪」，「匪」中不少是原住民，「番界討伐」好像也是常態。

反殖民統治是受壓迫者的天職，但面對新興日本的強力鎮壓，武裝抗爭顯然無效。當時以櫟社為代表的台灣士族詩社之成員，面臨何去何從的窘境，這群台灣有史以來最具儒家結社精神的士人多方探尋，苦不得其解。梁任公越海到來，適時提出以議會路線取代武裝抗爭，梁任公出道早，見識高，政治經驗老到。他以愛爾蘭為例，指出台灣的反抗運動，除走議會路線外，不可能有其他的出路。梁任公的一席話震聾發聵，影響極為深遠。當日櫟社的天才詩人、年未弱冠的林幼春有詩說道：「我生識字即識公，結未了緣良有以」，梁任公來台即是「未了緣」的「緣」，代議政治即是「良有以」的「以」，一條影響日治台灣政治運動的指導原則自此定了下來。

這條指導路線不只在日治時期有效，即便在一九四九年之後，它依然有效。縱然其間出現了以群眾運動為主導的抗爭形式，但議會路線總是主軸，此路線一直沿用到今日。梁任公與林朝崧、林幼春、林獻堂、連橫、蔡培火等前賢的瀛島之會，意義非凡。日治時期，先後來台的中國大知識分子不少，章太炎、林琴南、辜鴻銘、孫中山多人都曾來台，但沒有一個人的影響比得上梁任公。如果我們從政治運動的觀點觀察有文字載錄的四百年台灣史，我們可以放心地說：梁任公於一九一一年引進的議會路線當是最具成效，也最具歷史意義的一項業績。

梁任公百年前的來台一遊，不只在台灣史上留下不可抹滅的足跡，我相信放在台灣儒學的政治現代性的視野下定位，它的意義一樣重大。如果島田虔次、溝口雄三所說東亞的近代性可以溯源到明中葉的話，那麼，東亞政治的現代性早已隱藏在黃宗羲的《明夷待訪錄》、唐甄的《潛書》、王船山的《讀通鑑論》裡。但從黃宗羲、王船山以下，歷代的大儒知道專制政體之病，卻苦乏對應之策，這種焦慮恐怕要到百年前的梁任公來台提出議會路線政治後，才得到了紓解。

梁任公來台所以會帶來那麼大作用，路線問題是關鍵，但梁任公獨特的人格魅力與文字魔力也不可少。葉榮鐘的書提到他們當年會背誦梁任公來台所寫的一些詩歌，徐復觀也提到梁任公那些詩是自〈黍離〉、〈麥秀〉詩歌以後，最動人的篇章。梁任公等人自基隆上岸以來，一路南行，時有聚會，有會必有詩歌聯吟。古老的文人組織在一九一一年，卻發揮了和明季復社、幾社一樣的功能，它的歷史作用至少不會比其時海峽對岸的南社來得小。日治時期的台灣讀者讀到「破碎山河誰料得，艱難兄弟自相親」，而不泫然欲泣者，幾希！

梁任公、湯覺頓與櫟社諸君子都是新舊轉型期的人物，他們對舊日文人酬酢往來的詩文應酬都相當嫻熟。梁任公的詩在他的全集中大多可以找得到，但當日與會者的詩歌存亡難卜，在清大文物館籌備處珍藏的文物中有櫟社詩人的冊頁，其中有社長林朝崧的兩首詩，這兩首詩不見於他的《無悶草堂詩存》，但後來連雅堂編的《台灣詩薈》曾收羅此詩，只是文字略有出入而已。此冊頁另收有湯覺頓的和詩。湯覺頓是梁啟超極親密的朋友，可說是他的左右手，也是康有為「萬木草堂」的得意弟子。康、梁交遊朋友中，湯覺頓是少數的幹才，除具備傳統的文人技能外，他更嫻熟經濟，曾任銀行總裁。一九一六年，湯覺頓為討袁事務，被龍濟光暗殺。湯覺頓這位人物也是遺忘不得的，梁任公在哀悼他的輓聯中傷心欲絕，甚至認為自己是不祥之人，湯覺頓不該交他這種朋友。湯覺頓墨跡極少見，但他當日來台所寫的和詩居然尚留天壤間。此詩從未面世，在此公布，算是替當日東亞知識分子的流動留下一點鴻爪之跡。其詩如下：

萊園小集以「主稱會面難，一舉累十觴」為韻，分得「一」字

平生愛山水，性癖耽放逸。恩跡塵埃中，
忽忽若有失。茲游得清趣，
江山供一室，繁花滿芳林，鷗鷺相親暱。
況復賢主人，篤孝記懷橘。
築園資頤養，餘乃善作述。對君徒自慙，
俗骨恐遭叱。既苦三徑資，
亦乏致身術。此意兩蹉跎，念之心魂怵。
今宵燈燭光，分曹課詩律。
坡由句最好，願覯珠一一。荷龕草藁。

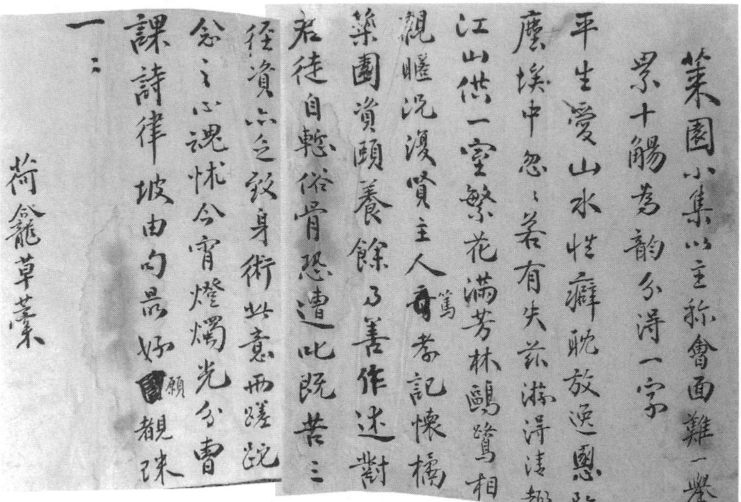
萊園小集以主稱會面難一舉
累十觴為韻分得一字
平生愛山水性癖耽放逸恩跡
塵埃中忽忽若有失茲游得清趣
江山供一室繁花滿芳林鷗鷺相
親暱況復賢主人篤孝記懷橘
築園資頤養餘乃善作述對
君徒自慙俗骨恐遭叱既苦三
徑資亦乏致身術此意兩蹉跎
念之心魂怵今宵燈燭光分曹
課詩律坡由句最好願覯珠
一一
荷龕草藁

1911年梁啟超父女與湯覺頓連袂來台訪問，此訪問決定了台灣政治運動的方向。此照片為湯覺頓在霧峰萊園聚會時寫下的詩稿。

在霧峰林家萊園的集會上，林獻堂、林朝崧、林幼春、梁任公、湯覺頓等人以杜甫的名詩〈贈衛八處士〉的名句「主稱會面難，一舉累十觴」的十字為韻，每人抽取一字，押韻成詩。集會吟詩，寫字互贈，這是舊日文人的雅事。一九一一年的萊園雅集雖然不是舊時代文人生活的最後一瞥，但科舉制度已廢除，新學待興，以後可以比較的例子大概不會再有了。

梁任公對台灣的影響不只限於一九一一年的台灣之旅，他還影響了後來來台的重要學人。梁實秋曾經聽梁任公演講，內心激動不已，平生僅見。錢穆曾說影響他一生最重要文章，即是梁任公假梁任公與其友朋的對話，討論中國會不會滅亡的文章，此文章即為〈中國前途之希望與國民責任〉此一名文，而當時梁任公的對話對象即是湯覺頓。梁任公和台灣另一個重要的聯繫點是清華大學，清大的校訓「自強不息，厚德載物」是他取的，他又是清大國學院傳奇中的四位導師的一位。梁任公與其公子梁思成都是清大的傳奇人物，他們兩人說是清大的靈魂也不為過。

這麼重要的人物來台百年，其人其事能被遺忘嗎？能不紀念嗎？

二二八百年祭[1]

台灣史上有兩個「二二八」，兩個「二二八」同等重要。

民國三十六年發生的二二八事件是台灣現代史極悲慘的一頁，不該發生的事發生了，不該屠殺的人屠殺了，不該掩飾的歷史掩飾了。如果說二二八至今還有政治居間操縱的話，那應該是歷史的業力還沒有消盡，所以才有操縱的空間。執政者吃案，在野者翻案，這是民主政治的常態，歷史的教訓通常要經由權力欲望的鬥爭才可彰顯之，王船山與黑格爾早就跟我們指出歷史理性的詭譎途徑。

但我相信我們應該紀念另一「個」二二八事件，也是另一「種」二二八事件。我

1 本文初稿刊於《鵝湖月刊》，第432期（2011年6月）。

說的「我們」不只指關心儒家前途的朋友，也包含關心台灣前途的朋友。我說的另一個二二八事件，乃指民前一年的辛亥年（一九一一）二月二十八日（陽曆三月二十八日），梁任公應林獻堂等櫟社詩人之邀，與女兒令嫻及友人湯覺頓，連袂來台訪問之事。此事所以可以用日文漢字的「事件」稱之，乃因梁任公一行此次來訪，人數雖少，也沒有引發任何的流血衝突，但它產生的政治效果卻是前無古人、後無來者，台灣的民族—民主運動從此找到了出口。台灣的儒家思想傳播也在當時海峽兩岸最具現實感的儒者之合作下，找到了實踐的管道。梁任公於百年前的辛亥（一九一一）年二二八來台，此事是台灣近代民族運動的分水嶺。

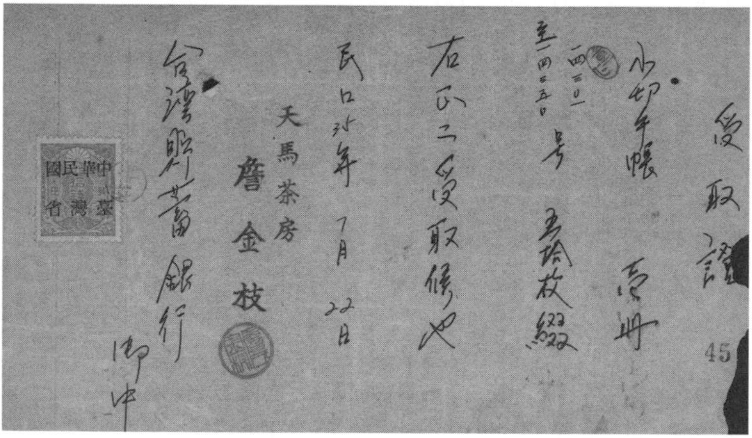

圖片為二二八事變發生前半年左右之天馬茶房收據，國民政府尚不及印製新版稅票，只能在原「日本政府收入印紙」上加蓋「中華民國臺灣省」的章，印花稅票也見證了歷史的變遷。天馬茶房為日治時期台籍知識人詹逢時（天馬）於今台北圓環附近創設的咖啡廳，二二八事變即發生於此茶房門口。茶房女主人詹金枝後來成為台灣佛教界的大護法，白首歸佛一生心。

梁任公與櫟社詩人的邂逅是則典型的傳奇，在異國舊都奈良的旅舍中，台灣民族運動的領導者正苦於找不到更好的出路時，卻遇到了當時中國最具世界視野的輿論驕子。梁任公勸導林獻堂、甘得中等人道：在相當長的時間內，中國沒有任何的實力可以支援台灣人民武裝反抗日本，台灣人民要為民族爭權利，應當效法愛爾蘭自決的前例，在議會上奮鬥。梁任公這則箴言在爾後的二二八台灣之旅中，發揮得更加淋漓盡致。就政治運動的觀點來看，梁任公的勸導使得茫然不知所從的傳統台灣儒生找到新式的政治實踐之道。但議會民主不是只有一時政治鬥爭的意義，我相信此一提議在台灣文化史上也是極重要的。台灣儒家從明鄭以來，即在各種政治漩渦中尋找安頓之基，這種尋找有意義的政治形式之運動自然還可往上追溯，先不要說追溯到孔孟了，至少從東林黨以下，如何打開「政權沒辦法客觀化」的死結，一直是儒者的主要關懷。明鄭政權存在的意義至少有部分可從明季東南沿海儒家的奮鬥意義此觀點著眼。

十七世紀與明鄭活動時期重合的東南海域的儒林人物如劉宗周、黃道周、黃宗羲、陳子龍、徐孚遠皆是一代大儒，天挺英豪，他們代表的價值體系基本上是宋儒類型的，也就是那種「為天地立心，為生民立命，為往聖繼絕學，為萬世開太平」的價值型態。宋儒的價值體系是東方現代性的總源頭，陳寅恪意識中的理想類型。然而，東方現代性的文明處理政權正當性的問題時，有其局限。宋明儒者面臨政治的困局時，除了在傳統的武力反抗、著書講學、遺民抗議之象徵系統等等外，找不到更具體的切進當代議題的管道。梁任公提到的議會民主雖針對當時的局勢而發，但我們如上下求索，不難發現從宋明新儒家到民國新儒家，有一條「政權如何正當化」的線索貫穿其間，梁任公的提案恰好處在其間的銜接性地位。

一個適時的提案，一個可以打動三、四百萬人（當時台灣的人口）的提案，不會只是政治領域的議題，也不會只因政治的關照而產生如此巨大的影響。梁任公的提案之所以有如此大的衝撞力道，絕對與他在一九一一年二二八前後所表現出的強烈的民族情之共感有關。梁任公在台（包含離日向台途中）的詩情真意切，首首扣人心弦。乙未割台，台人可謂無罪而代全中國受過，從乙未到辛亥這十七年間，台人的意識中充斥著「棄民」、「遺民」的挫折感，其生死存亡、艱難苦恨，無人過問。葉榮鐘先生說：「他們正像失路的孩提，歷盡艱難險阻，偶然碰到親人，情不自禁地抱著親人盡情痛哭一樣。任公對於父老們處境和這種感情，似乎體會得很清楚，他不但是十分夠資格的民族使節，而他那具有『發聵震聾』的『聲光魔力』也確實發揮盡致。不但使全台的父老們五體投地，景仰禮讚，一般青年知識分子也頗受到他的影響。」徐復觀先生也讚揚梁任公在台的詩歌道：「這是繼黍離麥秀之歌後的具有『歷史感動力』、『民族感動力』的鉅製。台灣人士蘊藏在內心的民族之愛，亡國之哀，隨著任公此詩的鼓蕩，而一齊生長了出來。」兩先生之說都是如如現量，毫無誇飾，這種強烈的文字感染力加上適時的政治實踐建議，使得梁任公一人的影響力超過了百萬雄師。日治時期來台的碩儒不算少，

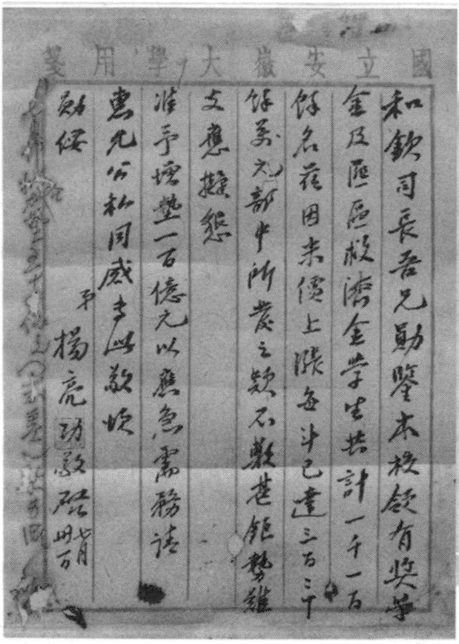
國立安徽大學用箋

和欽司長吾兄勛鑒：本校欽有奬學金及匪區救濟金學生共計一千一百餘名，維因米價上漲，每斗已達三百三十餘萬，大部中所發之款不敷甚鉅，勢難支應，擬懇准予墊一百億元以應急需，務請惠允，公私同感，專函，敬頌勛綏

弟 楊亮功 敬啓

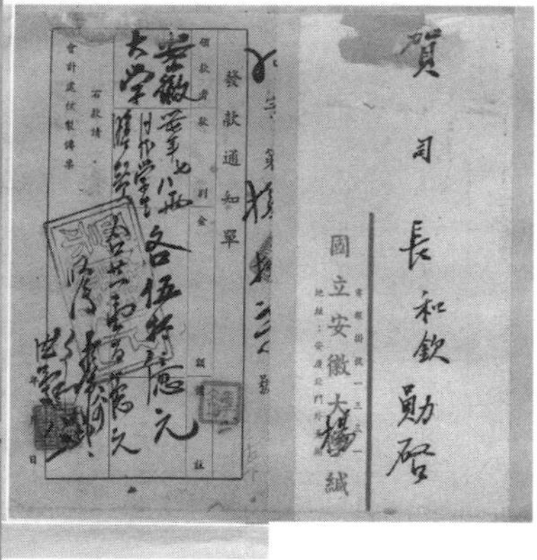

楊亮功曾任台灣二二八調查團的團長，後任安徽大學校長。他向當時的教育部要求趕快撥下7、8兩個月的匪區青年救濟金，教育部接訊，馬上撥下一百億元。數字極大，作用極小，因通貨膨脹已一發不可收拾，連米價一斗都已達到三百二十餘萬元，其時的艱困可想而知。圖為楊亮功信函與教育部的批文。

若章太炎、林琴南、辜鴻銘、孫中山皆是，他們各有影響，但沒有一位取得和梁任公同等作用的地位。

在百年前的二二八這個永遠值得紀念的日子裡，海峽兩岸極具思想深度的儒者共同摸索出了一種新式的民主實踐之道：透過議會民主的形式，體現民胞物與的精神。如果民主是儒家政治哲學必然要走向的目標，民主制度不管在枝節上有何修正，其本質乃是政治哲學最終的表現形式，那麼，百年前梁任公的二二八之旅提供給我們的省思永遠不會過時。儒家需要議會民主精神的那種類型的二二八，我們不是要以百年前的二二八取代戰後兩年發生的二二八，恰好相反，歷史的正面典範與負面借鑑同等重要。正因為戰後行政當

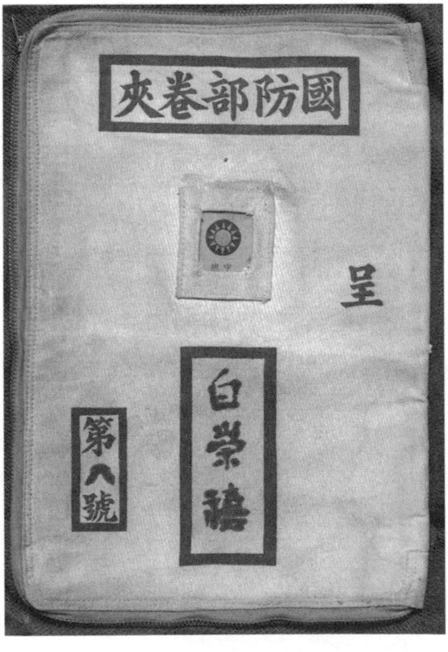

二二八事變發生時，白崇禧將軍任中華民國首任國防部長，受命撫慰台胞。此卷夾據白先勇先生説，當是白崇禧當日在台時留下的。

局沒有正視百年前二二八的作用，所以才會導致民國三十六年二二八此親痛仇快的不幸事件。反過來說，民國三十六年的二二八在歷史上不是孤例，而是歷史循環的常態，我們如要打破這種歷史不幸的循環，只有勇敢實踐百年前二二八事件給我們指引的康莊大道，這是梁任公、林獻堂、林幼春、蔣渭水等先賢留給我們的巨大的文化遺產。

辛志平、鄭成功與能久親王[1]

一

今年是新竹火車站設站一百週年，這座美麗精巧的歐式建築坐落在竹塹平原上已歷一世紀，吐納無數的中外人士，看透幾度的政權起伏。這座火車站是明治大正時期名建築師松崎萬長（松ケ崎萬長）的傑作，隔年，與他同享盛名的辰野金吾設計了宏偉的東京火車站。東京火車站的風格和新竹火車站有些類似，但規模大多了，時間卻晚了一年。由於兩位建築師屬於同代人物，建築風格同樣反映明治大正時期巴洛克風潮下的理念，因此兩個火車站據說要結為姊妹站。新竹火車站

1 本文初稿〈辛志平、能久親王與鄭成功〉，收入《新竹車站憶百歲紀念書》（新竹：新竹市政府，2013）。

這麼優雅，這麼重要的公共空間，而且建物背後負載了一段重要的建築史理念，當然該慶祝。

所以新竹市政府就隆重慶祝了，而且請了北白川宮能久親王的玄孫竹田恆泰教授參與。竹田教授的祖父是能久親王的長孫，他的祖母是明治天皇的六女，日本皇室的血緣似乎有些近。二戰後，盟軍清算日本的右翼組織，日本的許多「宮家」被廢，竹田家也在被廢之列，所以竹田教授已不算是皇族成員。史書記載北白川宮能久親王病死於台南，但有關其死因傳聞很多。竹田教授因關心高祖能久親王在台灣的行蹤以及日治台灣的歷史，因此，曾多次來台調查，和台灣結了緣，所以此次有緣代表日方參與新竹火車站的世紀之慶。

這座優雅的車站坐落在竹塹已歷百年，看盡政權更迭，人事滄桑，2013年迎接它的百年誕辰，目前為國定古蹟。（此照片陳翠萍提供）

能久親王的後人能到台灣來參加新竹火車站百週年紀念，其中的一個原因是能久親王在新竹留有足跡。同治年間，平定台灣三大亂之一的戴潮春之亂有功的新竹名紳林占梅有一庭園，名曰：潛園。歷數台灣名園，不管是四大名園或是五大名園，潛園都列名其中。日軍征台灣，潛園的爽吟閣曾為能久親王駐紮之所。此閣後來還被移至日人創設的新竹神社內，以紀念能久親王。除了爽吟閣外，桃、竹、苗地區的耆老對「能久親王在新竹」另有解讀，他們一直認為能久親王死亡，實乃中了義軍偷襲所致，並非染了風土病。歷史久了，一件重要的事件很容易就變為傳說，傳說就會變為傳奇。能久親王之死，就有這樣的演變過程。由於近世以來，日本還沒有一位皇族成員戰歿於海外，所以能久親王的死亡馬上被賦予國族象徵的意義。明治天皇為他在今日的台北圓山設立了神社，就是其時台灣唯一的官幣大社的台灣神社，台灣神社的地位就如當今的忠烈祠，能久親王是這座日本忠烈祠的主神。

由於能久親王的因素，所以他的玄孫參加的意義遂和新竹車站百週年的意義一樣重大，甚至於更重大。因建築物之美比較容易取得共識，即使是殖民時期重要的地標，如果建物夠美夠好的話，其魅力還是有可能克服狹隘民族主義的怒吼的。但歷史人物的評價不然，尤其像能久親王這般具有強烈指標作用的人，要平心靜氣地評價，委屬不易。但竹田恆泰教授當日不但參加了火車站的典禮，他也參加了一場別開生面的座談會。

市政府選擇座談的地點在新竹中學已故校長辛志平故居舉行，辛志平是台灣教育史的傳奇人物，他於一九四六年被任命為新竹中學校長，前後擔任新竹中學校長三十年。辛志平個性強悍，他不太管法令規章或習俗風尚，只依照他的教育理念行事。他相信他可以辦出全國第一流的中學，甚至第一流的「流」字可以去掉。他重視五育，強調全才教育，反對選擇科系太早分流。許多新竹中學畢業的校友對於當年必須學會游泳，每學期必須長跑，音樂不及格不能畢業等等的記憶，仍津津樂道。辛志平的人格特質有種單純的美感，他的理念與行事之間的距離極短。這種簡樸直截的性格顯然帶有很強的人格魅力，他的許多傳奇事蹟流傳於學生之間。其傳奇之作用幾乎與傅斯年之於台大，梅貽琦之於清大，沒有兩樣。

從一九四五年台灣光復到一九四九年兩岸分裂，其間頗有些出身師範體系的教師因個人秉持的教育理念，遠渡重洋來台執教鞭者，如北一女中的江學珠、台中一中的金樹榮、新竹中學的辛志平等人皆為其時著名的校長。台灣光復後，因兩岸的社會水平不一，加上長期的隔閡，不久即爆發二二八事件。隨著大陸赤化，國府在台實施戒嚴體制，島內的族群關係一直很緊張。然而，就在二二八事件發生時，新竹中學的學生居然會自動自發，輪流保護他們的辛志平校長以及竹中的外省老師。等到事件暫告一段落後，辛志平反過來保護被冠上紅帽子的學生。二二八此悲劇中，存在著不少這類感人至極的故事。如論一九四九以後的省籍關係，筆者相信當時一些中小學校長與老師應該起了很大的緩衝作用，教育永遠是東方社會最大的正面力量。不僅戰後的情況如此，即使在日治時代，也頗有些日籍老師留下極好的風範。由於影響大，而且其人有逐漸變為象徵人物的趨勢，所以辛志平的故居很快地被指定為市定古蹟。

辛校長明顯地是帶有強烈的中華民族文化情操的校長，但他的校長房舍卻是日治時期日人校長的舊宅。現任新竹市長許明財先生是竹中校友，中華民國的一市之長。許市長在他的中華民族主義人物師長的日式公務人員宅第，歡迎日本殖民台灣指標人物的後裔，共同分享日治台灣史的經驗。洪彌・巴巴（Homi K. Bhabha）喜歡說殖民的混雜經驗，在辛校長故居的會談就是一場典型的混雜拼盤，與談人、住宅、歷史記憶全部矛盾，但效果很好。沒有憤怒，沒有喧囂，沒有「愛國」的負擔。會談之後，據說許市長到日本，想見到的人都見到了，想結的姊妹站提案也意外地順利。因為竹田教授回到日本之後，感於台人的熱情，所以大力促成此事。對有些活在過去歷史陰影的人而言，台日的文化交流似乎意味著歷史的遺忘。但新竹車站與東京車站結盟，總不能說矮化台灣吧！

二

長久來，台灣人不願面對日人統治台灣的這段歷史。由於台灣內部一直有體制性的矛盾，先由本省／外省、黨內／黨外、右派／左派演變為統獨、藍綠之爭。兩造之間時常找不到溝通的基礎，連帶地，對日治台灣這段歷史該如何處理，一直有爭議，最後常以冷處理處理之，冷處理事實上就是不會處理。對過去的冷漠可以說是對現實不安的投射，也是對未來焦慮的彌補。能久親王在日治台灣史上是位關鍵而又具爭議性的人物，其後嗣能來台參與紀念活動，顯示台人已可平常心，也就是具歷史意識地面對這段歷史。

能久親王身為皇族一員，他一定有多方面的意義可談。就國民的素質而言，能久親王無疑地是極為優秀的，他是貴族出身，家族有佛教聲明學的傳統，和明治天皇是堂兄弟。留學德國，懂幾種外國語，對地質學等現代科學知識也頗有研究。他乘著國勢崛起的機運，投入軍旅，參加過平定西鄉叛軍的西南之役，當然也參加了甲午戰爭。身為新舊時代交接的新派人士，他像當時許多有文化素養的日本華族一樣，精通和、漢文學，書法、劍道、和歌都上手。而且怯於私鬥，勇於公戰，具武家素質，是荀子、商鞅一定會讚不絕口的好國民。清華大學文物館籌備處藏有多件能久親王的作品，其中有一幅一行書，上寫「靜坐觀群妙」，行書帶草，裝裱典雅，字跡流暢而健穩。觀其書，可想見武將內心自有一片寧靜的天地，頗有大森曹玄禪師「劍禪合一」之風。

然而，台灣人民所以還會討論能久親王，並不是因為他的個人的因素，而是他和半世紀的日治台灣史無從分割。就對台灣的意義而言，能久親王是一八九五年乙未征台的象徵，他之所以成為乙未事件的象徵，並不是我們解釋出來的結果，而是明治政府賦予他的意義。我們判斷能久親王其人，因此，不可能迴避對明治政府的判斷。在十九世紀帝國主義當道的年代，日本幾乎是唯一可以擺脫殖民命運的亞洲國家，而且是唯一可以與歐美列強抗衡的國家。弗雷澤（Sir James George Frazer, 1854-1941）這位人類學的大師寫《金枝：巫術與宗教研究》（*The Golden Bough: a Study in Magic and Religion*）時，提到新興的民族打敗強敵所帶來的文明進步的作用，他特別舉日本打敗俄國為例。黃種而且體格矮小的日本人當時能打敗歐洲的巨人俄羅斯，此事一定超出了歐美人士的想像。當日俄戰爭結束時，詹姆士（William James）聽到俄國戰敗的消息，大感驚奇。詹姆士以年紀老邁竟然還能睹此奇蹟，內心頗感到安慰。對同樣受帝國主義侵凌的亞洲人而言，其衝擊更大了，日俄戰爭也給中國當時的維新志士如梁啟超、革命人物如孫中山等人帶來極大的震撼。

明治政府的成績是極顯著的，在明治天皇統治的四十五年間，日本由一個封建的島國，先是飽受列強侵凌，命運與其他第三世界國家沒什麼差別。後來竟然能夠連續打敗清朝、俄國，成為一個唯一可以和歐美帝國主義者平起平坐的強權。但就價值理性判斷，我們還是不能不迴避竹內好問的一個問題：日本真的成功了嗎？當日本模仿歐美，脫亞入歐，結果也步上了帝國主義者的後塵，世界的強權惡棍又多了一位。日本放棄了東亞的立場，犧牲了抗議的精神，他得到了進入列強俱樂部的入場券，卻賠上了原初的理念，日本軍事上的成功反而顯示道德上的失敗。竹內好對中日現代化的成績下了極特別的判斷，他認為中國反而是成功者，日本則是失敗者。他的判斷是建立在倫理法則上的道德判斷，而不是政治判斷。我不會完全接受竹內好的命題，但相信這樣的判斷有很深刻的意義。

歷史是複雜的，歷史判斷是艱難的，任何國家處在明治政權那樣的時代位置，是否就不會加入帝國主義的行列，其行為能否更符合正義的原則？恐怕不一定。但錯了就是錯了，我們要感謝人的歷史判斷不可能脫離道德法則的約束。如果反帝國主義具有歷史進步的意義的話，明治政府顯然沒有站在弱勢者這一邊，它錯用了歷史賦予它的使命。能久親王在台灣的意義，或者能久親王在明治一朝的意義，幾乎都由乙未征台這一件事所壟斷。所以除非我們要接受乙未侵台的正當性，否則，我們很難相信能久親王可以得到明治政府規畫的那種高規格的歷史地位。

三

台灣神社建成後，能久親王成為神社祭祀的主神，他這種地位大概只有鄭成功可以比擬。事實上，能久親王在台灣最後的歲月就是躺在台南的安平舊市區的一座宅第的病床上的。竹田恆泰教授曾多次到台南調查能久親王的史蹟，包括這次來新竹之前，他也到了台南。由能久親王—台南這條線索，我們很容易聯想到鄭成功。日本征台，其法源依據自然是出之於《馬關條約》，但日人當時頗有人認為征台只是收復失去的領土，因為鄭成功本來即有日人血統，而且清領之前，日人早已居住台灣。稻垣其外寫北白川宮能久親王的傳記時，即把他和鄭成功兩人的功勳相提並論。

台南是台灣的故都，也是鄭成功的都城，城內的建築到處瀰漫了這位孤臣孽子的訊息。走在大天后宮、延平郡王祠、赤崁樓一帶，我們很難不想到歷史劇場的張力之強。鄭成功入台，實際在位的期間不到一年，但台灣從南到北，從新北市鶯歌區的鸚鵡石到台中縣大甲鎮鐵砧山的劍井，處處都有鄭成功的傳說。傳說肯定是不可靠的，但民眾需要它，所以就有擬真的傳說，鄭成功彷彿成了神祇般的存在。事實確也如此，鄭成功真的是神，而不是彷彿。

台灣民間祭祀的神祇非常多樣，廟宇星羅棋布，但諸神當中，鄭成功與台灣的關係特別緊密。鄭成功如果沒有於一六六一年驅逐荷蘭，台灣爾後的歷史會怎麼發展，實在難講。台灣以鄭成功成為主神的廟宇在前幾年已達一六三所，這些廟宇的主神尊稱除了大家耳熟能詳的「延平郡王」外，更多的是「開台」的尊銜，如「開台聖王」、「開台尊王」、「開台聖主」、「開台國姓」、「開台國姓爺」、「開台郡王」、「開台王爺」、「開台國聖」、「開台國聖王」、「開台國聖爺」、「開台國聖公」、「開台鄭府聖王」。「開山」之稱也不時可見，如「開山聖王」、「開山尊王」、「開山聖主」、「開山王」。這些「開台」或「開山」的尊稱是人民賦予的，土著性很頑強。清廷所以後來會承認鄭成功的地位，只能說是俯應民情罷了。

連雅堂在《台灣通史》中，揚譽國姓爺至極，視他為永鎮台灣之大神。連雅堂是文人，他的《台灣通史》中的部分內容帶有傳奇的成分，不見得符合史實。但他視鄭成功為鎮台之大神，卻是有憑有據，台灣民間多有此看法。以人成神且永鎮台灣，台灣史上大概只出兩位，兩位身上都流有大和民族的血液，這個現象很值得留意。兩人都入台灣後沒多久，即過世；兩人都被後來的繼承者視為「開台」的象徵。如就個人的能力、操守等等而論，鄭成功是否一定比得上能久親王，也許不一定。

鄭成功曠代人豪，在十七世紀中葉以後的反清群雄中，大概只有他和李定國兩人有機會動搖到清廷的統治權。身為文豪錢謙益的弟子，鄭成功總是被視為允文允武的典範。他這樣的形象是後世追憶出來，也就是建構出來的，實情恐怕靠不住。鄭成功六歲自日本返回中國後，身處在鄭家這種豪霸的草莽氣息中，他焉能有多少溫良恭儉讓的機會，去學習古典的詩書禮樂，海盜家族出身的鄭家也容不下溫良恭儉讓的人格。我們讀鄭成功的傳記，發現書中的字字句句都充滿了刀光劍影，血腥得很。鄭家內鬥之慘烈，不下於中國歷代最殘酷的豪門鬥爭，鄭成功

此圖當為三藩之亂時期的中國地圖，台灣地區（東寧）標識為「錦舍」，「錦舍」指的是鄭成功兒子鄭經。

的成功可以說是踏在塗滿了家族血液的階梯上，一步步爬上去的。鄭成功一生都處在兩面鬥爭的情勢，既鬥蠻族，也鬥家族。他鬥爭的對象甚至包括父親鄭芝龍，也包括兒子鄭經。就傳統的道德觀來看，鄭成功的行為有相當大的缺陷，即使他身不由己，我們也不能不感到其中的遺憾。鄭成功的文人教育能接受到什麼程度，蓋難言也。相對之下，能久親王是處在求知識若渴的明治時代，他吸收知識的精力、機會比鄭成功好太多了。

個人特質的部分也許能久親王不差，應該不比鄭成功差。但整體而言，鄭成功在台灣人心目中，顯然占有更重要的地位，而且在清領、日治、民國時期皆是如此。主要的原因是鄭成功驅走荷蘭人，放在十七世紀的世界史角度下觀察，此事具有反帝的特質；而他以一旅孤師反清復明，在悠久的中國史脈絡中，這種悲壯的抗爭被視為符合春秋大義的義舉。不管從世界史或從中國史的角度看，也不管依他父方（中國）或母方（日本）的價值體系著眼，鄭成功都被視為站在正確的一邊。可能由於鄭成功的母親是日本人，也可能是因為鄭成功的海上興師充滿了島國的櫻花絢麗、轉瞬消逝的悲劇色彩，鄭成功在日人心目中的地位始終居高不下。日本江戶時代劇作家近松門左衛門所作的人形淨琉璃歷史劇《國性（姓）爺合戰》，被視為日本戲劇的巔峰之作，國姓爺在劇中搖身一變，成為彰顯大和精神的英雄。《國性爺合戰》中的鄭成功之歷史脈絡雖然變了，但具抗爭意義的英雄形象卻是一致的。蓋棺論定，歷史牢牢地為他的地位背了書。

鄭成功在日人心中擁有極獨特的地位，如果我們將鄭成功放在東亞交流史的角度看，「鄭成功在日本」和「鄭成功在中國」各有其論述的脈絡。在十七世紀江戶人士的「華夷變態」的史觀中，鄭成功是以華日混血兒的孤臣身分出現在東亞的歷史舞台的。鄭成功六歲才從日本平戶返抵福建泉州，他的母語很可能是日語。以日婦所生的小孩在鄭芝龍豪強家族中成長，言語不通，文化不同，其成長之辛苦可想像而知。鄭成功在短短三十九歲生涯中，和日本一直維持獨特的關係。鄭家的軍費很可能大半出於日清貿易所得，鄭成功也曾向日本「乞師」，希望借其力以復明。日治時期在台日人不少人寫過歌詠鄭成功的詩作，曾見曾為早稻田大學校長的高田早苗寫的一首和歌，他到了延平郡王祠，讚揚鄭成功道：「日本乎！中國乎！皆無此等大丈夫！」

高田早苗的和歌絕非孤例，筆者曾見江戶鴻儒賴山陽（一七八〇——一八三二）的一件著名墨跡〈阿嵎嶺〉，詩曰：「危礁亂立大濤間，決眥西南不見山。鶻影低迷帆影沒，天連水處是台灣。」這首詩當是「台灣」一詞出現在江戶文學中的一則紀錄，後面兩句明顯地仿效蘇東坡的詩句而來。寫完詩後，賴山陽又有〈題自書卷後〉記其事，云：「書畢出戶，見落日入海，光彩萬丈，西南鶻飛影盡所，指而問旁人彼為何處？曰台灣也。憶起鄭成功焚儒服之事，慨然良久。」台灣、鄭成功兩者的意象聯袂而至，對江戶文人而言，台灣—鄭成功代表一組既熟悉而又富異國風味的意象。

鄭成功獨特的血緣關係與歷史位置是無法被複製的，因此，其地位也就居高不下。相對之下，能久親王本人雖然極優秀，但除非依日方右翼的史觀，否則，能久親王的歷史意義只能是蒼白的。歷史判斷不是道德判斷，歷史判斷要看主角發揮了什麼歷史作用，道德判斷則是個人人格的問題。後人對能久親王的歷史評價可能還是不公平的，但這種不公平的癥結主要還是緣於明治政府整體的定位出了問題所致。

四

在當日的座談會中，有一些文史工作者上上下下，極力為這場有趣而獨特的盛會奔走。由這些可敬的文史工作者的眼神與言詞中，可以看出他們帶有長期被冷漠後的一種幽鬱。在反對運動尚未成氣候前，台灣任何和日治時期有關的人、事、地、物大概都沒辦法受到正視，更不要說如何重視了。等到反對黨有了發聲的機會，甚至搶得國家機器，「日治台灣」才顯題化，可以成為學術議題，也可以成為公共議題，它轉為台灣史的一部分。即使如此，而且政黨輪替已經十餘年了，但由他們口中，仍可看出憤憤不平之意。

面對著這些素樸而可敬的文史工作者，面對著竹田教授一再感謝台灣人民在東北海嘯災難中給予日本的援助，個人內心不能不有些感動。感謝台灣的歷史極複雜，斷層多，異質成分也多，不同生活背景的人往往會有不同的歷史認知。這種曲折複雜的歷史也許短時期內是種痛苦，長期來看，卻孕育了豐饒的創造能量。就在二〇一三年三月三十一日短短半天的座談中，筆者收羅各方的言論，其話語中即浮現了鄭成功、能久親王與辛志平三位歷史人物。在日常的生活經驗中，這三個人很難被綁在一起討論，但恰好在新竹火車站百年紀念日的時刻裡，兩位可分別代表一六六一年（明鄭成立）及一八九五（日人據台）歷史事件的大人物，以及一位可作為一九四九（國府遷台）此重要歷史事件的顯像之校長居然同時成了話題。

說偶然固是偶然，說必然也講得通。因為只要活在台灣這塊土地上的人，不管個人願不願意，他總無法躲開一六六一、一八九五、一九四九這三個歷史事件的歷史效應。我們不只活在後一九四九，也活在後一八九五與後一六六一的年代。所以如何理解一六六一、一八九五、一九四九這三個歷史關鍵點的意義，遂成了在台灣這塊土地上生活的人民無所迴避的課題。

筆者相信：正因台灣的歷史斷層多，居民成分複雜，因此，島嶼人民對歷史認知的差異是難免的，也很難一下求得相互理解。但個人一向也認為：正因歷史是複雜的，所以不該只有單視角的判斷，人民交往的角度與政治意識型態的解讀更不應該完全綁在一起。日本統治台灣的國家機器沒有任何被讚美的理由，但在台灣這塊土地上奉獻過的老師、畫家、工程師、甚至一般的平民百姓，我們沒有理由認為他們也是共犯結構的一環。我們不宜因殖民統治的罪惡而忽略日本百姓的友善，但也不宜因日本百姓的友善而忘掉殖民體制的罪惡。同樣的態度也可適用於日治時期留存在台灣的遺跡，不管怎麼說，日治時期終究是台灣史上重要的一段時期，日治時期的文物或遺跡終將隨著時間的流逝，歷史衝突的色澤必然會淡化，它只會愈發顯現出島嶼的歷史價值的成分。就像遼、金、元、清這些異族王朝的文物在今日所顯現的意義一樣，誰還會把它們當作屈辱的標誌？

忘掉歷史是不可原諒的錯誤，但活在歷史陰影也是愚蠢的行為。一百多年過去了，東亞發生了巨大的變化，台日的關係也該演變到新的階

在辛志平公館會談之一景，由左而右：文史工作者張德南老師、竹田恆泰教授、許明財市長、筆者。中間兩幅書法作品為北白川宮能久親王墨跡。（此照片陳翠萍提供）

段。竊以為：如何擺脫一國的視角，而能形成東亞整體的視野；如何擺脫民族主義的局限，而能從東亞共享的文化積澱出發，這應當是東亞人民共同的責任。即使我們今日對能久親王的評價不可能擺脫對明治政權的批判，筆者相信能久親王在天之靈應當很樂意看到台日兩地人民能跨越歷史的鴻溝，走在正確的道途上的。到底國家不是自為的目的，它是為了文化而存在的，而任何文化都是為了彰顯普世的價值而存在的。

趙老！趙老！[1]

一

去年三月最後一次見到趙老，我陪一位來自北國的日本友人專程拜訪他，這位日本友人是特地來和趙老商量一件章太炎的作品的。趙老就像往例一樣，談完事情後，很客氣地請我們到住家附近的一家北平餐廳用餐。年齡幾乎與國同壽的趙老走路緩慢，拄著枴杖，但彷彿不怎麼用，有點英國紳士帶杖行路的味道，也有點古代大老「杖於朝」的風範，禮儀的味道比較重。百歲老人的行走所以值得一寫，主要還不是他的身體好，而是他在前一年才剛摔了腿，不知有沒有斷，但知道他當時舉輕若重，舉步維艱，上一樓無異登玉山。但過不了多久，他又可自在

1 本文初稿刊於《中華文物學會》，2013年刊（2013年6月）。

地上樓，腿居然養好了。他當時已是年屆九六、九七高齡的耆老。

趙老似乎沒練過什麼功，也談不上仙風道骨，但不知道他的身體是怎麼打造成的。在他過世前三、五年，朋友聊天，談及趙老時，難免會問及他最近的行蹤。通常較常聽見的消息是：有呀！最近才在光華商場碰到他，他蹲在地上，和攤子的小販殺價，起而復蹲，蹲而復起，後來差了一氣，沒有成交。不同的朋友在不同的週末常會在光華商場碰到他，趙老好像都蹲在地上殺價。如果光華商場要有地標的話，我想朱銘如果能雕一尊「趙老殺價圖」，這尊雕像就立在新生南路與八德路或與市民大道的交會口，應該會很傳神。面對小販漫天開價，九五老人竟然還能貨真價實地就地還價，這是太平盛世才會有的景象。

我和趙老最後的合照，背景是他家居前的小巷。

趙老是山東人，但北人南相，見到人總是笑呵呵的。他念我的姓總是聲調降一格，陽平變成陰平，「一ㄤ老師，好久沒見了！」從他的話語裡，聽不出我姓「央」、「泱」或是「殃」，但一定不是「楊」。見到了我太太，他卻又將她的姓提高了一格，陰平變成了陽平，方老師變成了「黃老師」。古無輕唇音，山東是齊魯舊墟，輕唇音想來不發達，所以F音發不出。語音是改不了的，我從來沒有想到趙老有意在我們之間，扶弱濟貧，伸張女權。但後來想到他不時會流露出促狹的性格，也許趙老偶爾也會遊戲三昧，進行一場小小的顛覆。

趙老飽經憂患，其人自有江湖，但卻不時會顯現童真。在最後一次見面，我與日本友人陪著他過馬路返家時，我談起了幫他祝壽之事，也問起了他的生日。趙老忽然靦腆起來，拗不過我一再追問，他拿出身分證，要我一看究竟。我一看生日，看不出所以然。後來，他自己說出扭捏的原因：「我的生日居然是情人節，這不是很丟臉嗎？」一世紀前的山東有什麼情人節？一世紀前的台灣有什麼情人節？情人節是資本主義社會刺激消費購物的產物，和趙老有何相干？他的話天真到類似一休禪師的偈句，真是需要好好地參！

我最後見到趙老，心中充滿了驚奇，居然有些法喜了。第一次碰到趙老，也是如此。

那是我收藏生涯剛起步沒多久，由於太太在松江路頭的一家醫院坐月子，過橋就是新生南路與八德路交叉處，也就是古董薈萃的光華商場所在之地。我近水樓台，假公濟私，不免要到商場見習。記得第一次上了舊光華商場二樓，在走廊一角一間名為「莊敬書畫古藝館」的古董店見到趙老。我東摸摸，西問問，外行一出口，便知什麼都沒有。有些商家喜歡和這種門外漢做生意，錢好賺。等我提著膽，小心翼翼地探問一件繪畫作品的價格時，他答道：不賣。等稍微摸清我的底細後，他更直截了當地說：不要收藏。

古董商居然排斥顧客收藏，這事太怪了。後來他當然賣了我不少東西，而且還滿照顧的。大概他在古董界待久了，知道箇中頗有機關，蜚短流長，防不勝防。趙老因為自己異於常人的求學背景，也因為看到太多重要的文物流離失所，他很奇特地對人文知識有異乎尋常的尊重；但更奇特的是因對人文知識與對知識人的尊重，所以他反而會對初識的學界人物潑一頭冷水，要他們迷途知返，眼前無路快回頭。我沒想到趙老會坦白到這種地步，真是夢中聞雷，不能不由迷離恍惚之境中清醒過來。

我驚醒過來，確定此老不俗後，竟又墜入一場更深沉的夢。我很快地一頭栽進，執迷更深，此恨綿綿無絕期的收藏之夢就此展開。我開始向趙老請益，也開始購買。趙老的雷聲也就發了那麼一次，第二次見面時，他就開始跟我談價格了。一開始，戰場廝殺般地談。一次之後，趙老馬上看出我「非吾道中人」，勝之不武，而且對他真是執後生禮，很溫良恭儉讓，也很後生可教，所以整個互動模式就變了。雖然我和趙老是買方與賣方的關係，趙老生為古董商，自然也賣也賺，但兩人跨越了年齡的差距，平生風義兼師友，居然有點忘年交的味道了，我慢慢地走進了趙老的世界。

二

我因古董而認識趙老，盤算一下我在舊光華商場認識他的年代，他早過從心所欲之年了。趙老就是老，他自然不可能再年輕，我既沒見過輕裘緩帶的年少趙老，也很少聽到他談及前塵往事。在我的印象中，趙老就是坐鎮在光華商場的一位智慧老人，不是黃石公那種類型的深不可測，而是具有深厚人情味的忠厚長者。光華商場是淘寶之地，但若論光華商場最珍貴的古董，應當非趙老莫屬。

趙老流離到台，他一定有段坎坷的過去，但他不提，我也不問，我喜歡聽一位人間味濃的老人閒談書畫版本中的人間滄桑。年邁趙老和年輕趙老如果有牽連的話，最常見於他對章太炎與蘇州國學講習會的追憶。趙老總是稱呼章太炎為：章老師或章先生，趙老聽過章太炎在蘇州國學講習會的課，這是他一生引以為傲的歷史。他不知以何種身分入學，有可能不是正式學生，但他的生命因曾貼近章太炎，所以有了光彩，也有了方向。當日在蘇州國學講習會講學的先生不少，趙老也一律尊稱為師。他曾一度蒐羅章太炎的書法作品達數十件之多，國學會的老師如黃侃、唐奎章、朱祖謀、唐文治等人的書法也是他搜集的重點。十年前，這些文人的作品之價格不高，收藏者也不多，趙老願意以較高的價格收購，同樣也以較高的價格轉讓給同好。在當日的古董行業當中，趙老是我所知少數會重視學者書藝作品的行家，我甚至想不出第二個類似的例子。

章太炎是民國學術圈的巨星，我不知道趙老的背景，不知道何以一位山東的年輕人居然會有機會到蘇州去旁聽這位鴻儒的講課，但可以想像的，這場年輕時的邂逅是他生命中很激情的因素。趙老後來輾轉來台，據說原本在公賣局服務，退休後從事古董行業。當日在台北從事古董這一行，尤其是和人文階層有關的書畫版本這區塊的古董商，大部分都是一九四九年來台的流亡者。在一九四九年那場大流亡潮中，有不少中上階層的外省菁英帶著家裡代代相傳的書畫、版本、拓片、玉器來台，作為逃難的盤纏。等台海局勢稍微穩定之後，這些文物就要轉換成經濟的資本了。像趙老這樣有些人脈——亦即知道何處有人有貨，有人願買貨——就自然走上了另一種傳播文化的舞台。

台灣由於氣候潮濕，士族的形成較晚，代表菁英階層的雅文化之搜集不算出色。筆者手頭有一冊李逸樵於日治時期編的《大東書畫集》，此書是其時台人少見的收藏圖錄，有人估計可能是第一本。李逸樵是雅人，其收藏也有水平，但如果放在今日的標準來看，他的收藏還是不免局限。時代不同，不同時空脈絡的比較是不公平的，我所以舉這個例子，其意不在指出以前的收藏有多貧乏，或者今日台灣的收藏家有多厲害。我只是感到歷史的詭譎與因緣的不可思議。如果沒有一九四九年那樣的大災難，原來聚集在大陸各地區的文物，上自故宮博物院、中央圖書館的歷代寶物，下至江南世家的收藏，不可能飄洋過海，來到〈雨夜花〉、〈望你早歸〉、〈碎心戀〉、〈黃昏的故鄉〉的旋律迴盪的台灣。

在兩岸可以自由交流前的台灣古董界中，趙老的實力不算雄厚，但趙老在舊光華商場二樓的那間斗室卻扮演其他豪宅華廈無法代替的角色。由於趙老本人的文化素養，他那間斗室成了到光華商場撈寶的文人自然而然的聚會所，那間斗室也是我吸收課堂上學不到的知識的另一間教室。故宮博物院的前院長秦孝儀喜歡在這間斗室「秀」他所獲得的一小片玉片；書畫界名人李葉霜時常在這間斗室發表他對拍賣會拍品的看法：「那件唐伯虎的畫真好，畫得比唐伯虎的畫還好」，標準的李氏口吻；千聯齋主人謝鴻軒其時的收藏早已破「千聯」的標的不知多少倍，他到「莊敬書畫古藝館」，大概就是串門子的意思。秦孝儀來了，也走了；李葉霜來了，也走了；謝鴻軒來了，也走了。大江東去，捲走多少英雄人物。在來來去去之間，另一種的傳統文化就此散播開來，它的成分也就此滲入台灣的土壤中。

光華商場後來的生態發生了很大的變化，一個新興的電腦產業慢慢地侵入商場中，說慢其實也不慢，以日月計是慢，以年計就不算慢。最古老與最新興的行業在同一棟大樓中競爭版圖，勝負非常明顯，先是一樓的舊書店全面淪陷，接著商場二樓的古董店也一家一家地被電腦相關產業的商家取代。年紀偏老的顧客少了，被年輕的哈日族、哈港族取而代之。趙老的「莊敬書畫古藝館」可能是最後撤離的一家古董店，我們戲稱是「四行倉庫」。等到大樓拆除的前幾年，四行倉庫也撐不住了，趙老終於將店盤給了一家電腦店，光華商場的古董黃金歲月就此畫上休止符。

趙老搬離了光華商場後，在自己永吉路的老家仍然繼續經營古董事業。但「談笑有鴻儒，往來無白丁」的盛況沒有了，對曾經歷昔日風華的老顧客來說，最大的失落

光華商場是台北的古董街與舊書中心，後拆掉重建。圖片為營運最後一日的情景。（此照片中華文物學會提供）

莫過於那種會與某某方家不期而遇的驚喜感沒了。原有的光華商場後來幾經變遷，電腦業盤據了新建的幾棟大樓，玉市仍在，古董市場也仍在，但「物是人非事事休」。人不在了，風華就黯淡了。

趙老不知為何來台灣？也不知他為何入古董這一行？我估計這些選擇都不是他預期的。但時代的巨浪從頭打下，任何的英雄豪傑都沒有多少的自由意志可以選擇。他來台，他做古董，總是為了生存的。但他的意圖卻成就了一九四九此巨大歷史事件中的一環，一九四九此巨靈以蒼生為芻狗，它也需要許多的「趙老」幫它完成計畫的細節。長距離地反觀歷史，我們很難不感受到主體的渺小以及歷史理性的詭譎，也許「天命」的感情就是這樣興起的。

趙老，名中令，台灣收藏界的朋友很少人不認識他的，我稱他為趙老。我喜歡這樣的稱呼，因為「趙老」！「趙老」！「趙老」！多喊幾次，親切感就上來了。我本來和他有約：如果清華博物館哪天成立了，要請他過來剪綵、演講。「呵！呵！一ㄤ老師，我怎麼有資格？去參觀就是了！」趙老以他一貫的口氣回答道。這場一再拖延的約定看來是永難兌現了。

1949與清華大學

既是恥辱也是光榮的象徵，中西兩種現代性交合的產物，曠世實驗的一個案例。

兩張清華園照片。台灣清華不管視為「復校」、「設校」、「建校」，它與老清華之間仍有極獨特的歷史關係。（此照片蔡錦香提供）

為什麼是清華[1]

我有位師長有句口頭禪「很複雜」，他深思熟慮，談起任何問題，一破題或一結尾，都是「很複雜」。我常被問：為什麼要將文物捐獻給清華大學？這個問題好像也很複雜，但最複雜的問題是：為什麼要問「為什麼」？

「為什麼」是在問自然事件的原因？還是在問價值事件的理由？答案好像是後者。但問題依然存在，為什麼要問「為什麼」？有僧問趙州和尚：什麼是「祖師西來意」，他答道：「庭前栢樹子」，庭前栢樹子不回答為什麼的問題；密契詩人Angelius Silesius有首詠花的名句：「玫瑰花不為了什麼，它只為了開花而開花。」

1 本文初稿刊於《鵝湖月刊》，第464期（2014年2月）。

康德論審美的自由意義，海德格晚年談自然的議題時，都喜歡引用這首詩為證。佛教稱呼這種取消「為什麼」意識的意識叫「現量」。現量就是不用選擇，當下即是。

世間應當有「現量」這樣的理境，但人間事很難沒有選擇。要不要捐獻？怎麼捐獻？捐獻給什麼單位？當然不能不費些思量。文物再怎麼不上相，總有人要的。由於我的工作環境以及蒐集文物的資金主要來自於工作單位給的薪資，趨勢已經很清楚。但更關鍵的因素是台灣的國立清華大學的特殊位置使然，我其實沒有多大的迴旋的空間，選擇清華就是交給清華選擇，依循歷史理性的必然即是現量。

清華的校史說明了一切！清華陪伴著近代中國坎坷的命運，它也經歷了相同的歷史時段。但清華的特殊在於它的兩個特殊的歷史點，清華成立於一九〇九年，差不多與民國同庚。眾所共知，成立清華的錢是由美國的「庚子賠款」退款所支付的，「庚子賠款」則是一九〇〇年義和團事件引致的八國聯軍的產物。義和團事件—民國成立是中國近代史的大事。但如果我們把它們放在更長遠也更廣大的歷史視野來看的話，義和團事件—中華民國成立可以視為中國的原生現代性面對西方的現代性的一個調節過程，一九〇〇是第一個具有象徵性意義的歷史點。

晚近的研究已經越來越能顯示現代性不是只有一種模式，許多古老的文明都有自己發展的歷史軌道，單一發展的史觀是西方國家由資本主義進入帝國主義的歷史歷程之產物。以中國為核心的東亞明顯地是個「天下」，它有自己發展的歷史軌道，宋代與明中晚期是最常被提及的東亞現代性的轉捩點。西方的現代性則是全球性規模的侵入事件，它以船堅炮利，伴隨著所謂現代化的價值，擴張了西方影響的幅度，同時也打斷了各文明的現代性之行程。對西方現代性的吸納與反抗因此構成了近現代歷史演變的主軸，從反抗的角度考量，義和團事件、

1900年的庚子事變引致的八國聯軍是近代中西衝突的高峰，清大的設立可溯因於此一悲劇性的衝突。圖片為其時盤據北京國子監的日軍照片。中華文明在20世紀之初卻彷彿走入世紀末之困境，連聖域都難以保全。

太平洋戰爭、越戰、九一一事件，不管這些個別的事件本身有多複雜，它們都具有反抗西方現代性的意義。清大成立的機緣是二十世紀破曉時分的罩頭烏雲，義和團的「扶清滅洋」是全球性的反抗西方現代性的一個著名的案例。

中華民國的誕生如果放在中國的現代性歷程的角度下考量，可以說是順著宋明以降的道德主體性之建立，以及士大夫的天下意識之確立，發展出來的。中國近代思潮的演變，很重要的要求就是找出符合政治主體的政治形式，這樣的要求在北宋儒學奠基者如范仲淹、程伊川身上已可看出，在明末黃宗羲的《明夷待訪錄》、唐甄的《潛書》、王船山的《黃書》上，更可聽到每一頁的每一行字都發出了強烈的吶喊聲。晚清以來所有像樣的政治勢力的政治主張，不管是立憲或是革命，不管是康有為、梁啟超、嚴復，或是梁漱溟、熊十力，都帶有明顯的從傳統儒家轉化為現代公民儒家的胎記。

國立清華大學前身的清華學堂之設立即是兩種現代性的具體交涉，它既是恥辱的象徵，也是光榮的標誌。八國聯軍的炮火一響，給古老的中國帶來了清華大學，清大的一磚一瓦都凝聚了當時四億人民的抗議、魯莽與恥辱的疤痕。但清大也是近代中國科學成就的搖籃，諾貝爾獎的得主，兩彈一星的貢獻者，都聚集於此。尤有甚者，代表民國學術標竿的四大導師也聚集於清華園，四大導師一向被視為銜接傳統與現代的典範人物。接納與反抗一體，屈辱伴隨榮譽共生，清華大學的校史就是近代國史的一個縮影。

清華校史上第二個重要的日子是國立清華大學於一九五五年在台復校，同樣地眾所共知，清華復校是一九四九大遷移的歷史產物。國立清華大學和中華民國的國體，以及故宮博物院、歷史博物館、中央圖書館、中央研究院等重要文化及學術機構，聯合構成了國史上第三度偉大的遷移事件的歷史豐碑。

清大的復校和原子科學的建立密不可分，國立清華大學的體質有濃厚的國家政策的成分。照片為原子爐動土典禮，左立者為清大校長梅貽琦、執鏟者左起美駐華大使莊萊德（Everett Drumright）、副總統陳誠、教育部長張其昀。

清華大學校史上的一位悲劇人物馮友蘭在〈西南聯大紀念碑碑文〉這篇名文裡提到：國史上有四次南遷：東晉南遷，南宋南遷，明末南遷，抗戰南遷，其中以抗戰南遷最值得自豪。中國史多災難，人民的南遷是常態。但一樁南遷事件之所以能成為歷史性的事件，應當是它的規模夠大，意義夠重，影響夠深遠。從這種觀點來看，馮友蘭說的四次南遷都夠格。但明末南遷，雖有正統象徵的政權南移，我們卻不容易看到這場悲壯的反清鬥爭所帶來的文化積澱的意義。南明各反抗政權存在的歲月都不夠長，沒有給融合北方與南方文化的工程留下足夠的時間。抗戰南遷，人民的遷移數量夠大，意義也極重大。但勝利復員後，形式上回復到戰前的狀態，留在後方生根茁壯的人員、機構數量相當有限，大後方的四川、雲南的文化主體性沒有呈現質的飛躍，它們沒有改變中國的文化生態。

東晉與南宋的南遷才是名副其實的大遷移，文化意義的重大難以估量。我們觀看東晉的文化：書法、玄學、文學都遠超出其間北方的水平，文化在南方的土壤上生根，而且正統還屬於同族的司馬氏政權，五胡統治下的華北之文教成就則殊無精采。南宋的情況也是如此，理學、文學、藝術、經濟在南宋的表現，遠比異族統治的遼金出色。宋朝是國史上文化非常燦爛的時期，而南北宋的光輝幾乎是均等的，江、浙、閩、粵在十二世紀以後的表現就再也停歇不下來。如果沒有東晉、南宋的遷移，千年來文明鼎盛的江南的格局固然難以想像，漢文化的傳承也將是不可承受的重。

可以媲美東晉、南宋的遷移者，不是明末也不是抗戰，而是一九四九的國府南遷。國府南遷是整個政權以中國正統的格局搬至台灣，這個流亡政權逃亡到海島來時，它是災難連著財富，詛咒連著機會一齊帶來台灣的。如論流亡政權的完整性，司馬氏南遷與趙宋南遷都比不上。至於上述三段歷史時期的北方政權的性質，雖然各不相同，我們不好將馬、恩、列、史、毛的共產中國和五胡政權或遼金政權相比。但至少在相當長的一段時期內，北方政權的性質都背叛了中原文化的傳統，也背離了漢民族的方向。在一九四九這個關鍵的年分，代表文化傳統價值的于右任、張大千、錢穆、徐復觀等人，以及代表自由民主價值的胡適、傅斯年、梅貽琦等人都選擇了渡海，而不是待在故國，這種選擇的意義非常深遠。我相信文化傳統與民主自由理念的接枝乃是中國歷史發展的正途。

一九四九兩岸的分治指向了兩種不同價值定位的歷史回應，共產中國代表的訊息確實也是一種對西方現代性的反抗，這種反抗直接針對著資本主義—帝國主義此核心力量而發，反帝是中國革命的核心價值。但中共在反抗的過程中，它與傳統中國徹底決裂，也就是其革命中沒有中國原生現代性的傳承在內。沒有中國原生現代性的傳承因此也就沒有傳統的智慧可言，五千年的傳統成了蒼白的荒原。完全嶄新的中國因此也是不受任何規範的中國，也就是沒有深遠的文化積澱作立足點的中國，中國史上最偉大的浪漫革命遂造成了中國史上最殘酷的人為災難。

一九四九後的中華民國不管其歷史演變過程如何，不管逃難來台的國民黨政權是真情，還是弄假成真，但最後的結果是華人在自己的土地上，運用自己的文化力量，完成了民主的轉化，也建立了一個大致符合人性發展、社會正義的社群，這是鏗鏘洪響的鐵的事實。宋明以降的中國原生現代性顯示一種符合漢民族的文化形式、一種可完整體現民意的政治形式，乃是中國現代性應該發展出的主要內容。從范仲淹、程伊川到梁啟超、張君勱，我們可找出發展的脈絡。我相信中國原生的現代性雖然像島田虔次與溝口雄三所說的，是「挫折」的，很可能初步挫折於滿清異族的征服，根本挫折於西方現代性的全面顛覆東亞大陸。但「挫折」並沒有斷了生機，它的生機反而在一九四九的災難中找到了出路。

在台灣的國立清華大學正是一九四九的產物，也可以說是一九四九的象徵。台灣的國立清華大學脫離了北京的老校址，原有老清華的人員南下台灣，在新竹另立旗幟，這種與共產中國的決裂以及與原來校名、理念的承續，正顯示了台灣清大的重要意義。因為正是在台灣所承擔的歷史衝突的土壤上，清華大學既綰結了庚子事變的文化衝突、一九四九的文化衝突；也綰結了台灣在近代中日、與在現代東西兩大集團間的各種衝突。台灣清華大學的血液中有甲午戰爭、庚子事變、民國成立、抗戰南遷、一九四九渡海、冷戰體制、戒嚴／解嚴、中國崛起諸種事件的ＤＮＡ。這種複雜性格隨著東方的反抗

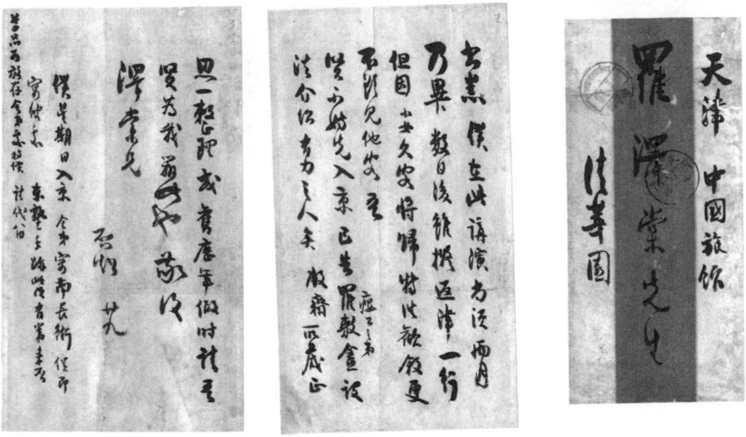

梁啟超和清華的情分非淺，清大校訓「自強不息，厚德載物」即出自此一代輿論驕子。他的信札傳世者不少，但自清華園發出者不多。

逐漸形成氣候，兩種現代性的結合日漸迫切，它的意義也會愈形豐富。台灣的清華大學的性格很曖昧，但曖昧意味著豐饒，它的「可能性」遠遠超出「現實性」。

我是相信日本、中國在近代東亞世界轉型中的正面作用的，雖然它們都先後犯了極大的歷史錯誤（日本的二戰與中共的文革最為顯著），也相信東亞的升起很難抵擋。在這種歷史轉型的過程中，如何匯聚兩種現代性，其工程的難度極大，投資報酬率則極為可觀。但必須先滿足一個前提：東亞內部要先了解自己，要先能對話。台灣的國立清華大學在這種歷史轉型中，應該提供對話的平台。它的歷史命運與地理位置使它必然要負較大的責任，雖然目前尚停留在「可能」大於「現實」的階段。

我的收藏以「東亞」定性、定調，藏品微不足道，微不足道的收藏當然只能帶來微不足道的捐獻。但即使中世紀的贖罪券也是可以許願的，我很期盼上述所說的「可能性」轉化為「現實性」後，歷史的天平能往更公正的部位平衡一點，兩種現代性匯合的內涵可以再豐富一點，中國史上的第三波南渡事件的影響可以更深邃一點。

清華與民國熱[1]

「民國熱」是中國大陸改革開放以後重要的文化現象，直到現在，「民國熱」依然熱。大陸最近幾年的書畫拍賣，所謂的文化名人的行情往往比書畫名家高。誠軒今年的拍賣，同樣的尺寸大小，胡適的幾行字比張大千的一幅畫價來得高；嘉德的馬宗霍專場拍賣，同樣的尺寸大小，章太炎的手稿和張大千的畫同樣的行情。西元二〇一一年，張大千書畫的拍賣總額是最高的，不是在中國，而是在世界，張大千超越了畢卡索。據說股票是經濟的櫥窗，也許是，但書畫文物更是，只是書畫文物反映的訊息更豐富。

1 此文為2015年2月12日清華大學舉辦之「文化薈：清華名人手稿文物暨特藏文物發展基金捐贈儀式」之發言稿。

任何人想到民國的文化名人，就很難不想到清華。沒有清華，「民國熱」熱不起來。文物市場上的胡適、章太炎現象不是特例，清大出身背景的文化名人行情更火熱，尤其四大導師中的梁啟超、王國維、陳寅恪的行情更是高燒不退。「行情」兩字冠在「文化名人」頭上，實在煞風景，有損「文化」一詞的莊嚴。但目前文化名人的拍賣行情是有群眾基礎的，少數人有組織地拉抬是「炒作」，眾人追逐的現象卻是韋伯所說的「社會事實」。「文化」和「市場」的複雜關係不可能是道德的，也不可能是不道德的，「文化市場」一詞很詭異，「正其誼不謀其利」的董仲舒看了一定很憤怒。但「文化市場」的現象遍布全世界，不分語種、族群、宗教，凡有文化處即有文化市場。這樣的大眾流行語不可能是海市蜃樓，所以民國熱引致的文化市場行情只能是社會事實。

清大的文化名人之所以熱得起來，肇因於十三億人口共襄盛舉的民國熱。十三億人口反映的集體情感又曲折地反映了對現實的批判，這種無聲的批判指向了中共當局不能正視民國的意義。依中共官方的正統論述，「民國」是歷史的範疇，它從一九一二年的元旦延伸至一九四九的九月三十日。當「宇宙的詩人」毛澤東在天安門廣場宣布中華人民共和國成立時，「中華民國」即成了過去式，連帶地，民國文化—民國學術也就成了「文化遺產」、「學術遺產」。遺產理論上是當繼承的，至少總要批判地繼承，但當「全世界無產階級聯合起來」的口號響徹雲霄時，「民國學術」此學術遺產或文化遺產不能不是封建的，或是買辦的，它總是被批判遠大於被繼承。

民國學術在中國史上是極特殊的一段時期，我們如果將一九一一年的辛亥革命連接之前的一九〇五年的廢除科舉以及一九一九年的五四運動，這十四年間的變革之激烈，遠超出秦漢以後的任一時期。民國學術就是在這個空前狂風暴雨的環境下生成的學術，它的學術成績如何算，姑且不論，但它的歷史角色早被設定好了，這個學術最大的特色就是新舊學術或中西學術的銜接。這個銜接期中的重要人物通常需具備連接舊學術與開創新學術的功能，算來算去，清大四大導師中的梁啟超、王國維、陳寅恪正是集新舊文化因素於一身的典範。

如果說民國學術是中國史上絕無僅有的文化奇葩，一九四九的共產革命也是中國史上絕無僅有的徹底反中國傳統，同時是反西方傳統的力量。一九四九的革命繼辛亥革命與五四運動而興，它繼承了兩者的成果，又成了否定兩者的力量。然而，作為民國學術主要內涵的文化傳統價值以及自由主義理念很難想像可以被抹滅，陳寅恪輓王國維有語云：「獨立之精神，自由之思想」，「獨立」、「自由」既是新興的自由主義語彙，但也是儒家大丈夫理念的現代語轉譯。陳寅恪、王國維、梁啟超這幾位老清華學風的奠基者是黑格爾讚美拿破崙「騎在馬背上的時代精神」那種意義的「時代精神」，他們代表的文化傳統與自由主義思潮的銜接意義在一九四九年之後，基本上消失了，至少消聲了。

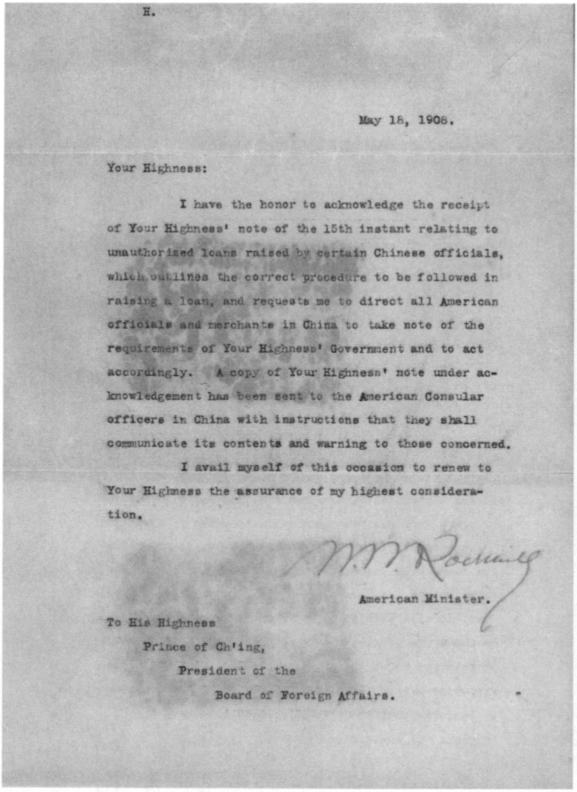

H.

May 18, 1908.

Your Highness:

I have the honor to acknowledge the receipt of Your Highness' note of the 15th instant relating to unauthorized loans raised by certain Chinese officials, which outlines the correct procedure to be followed in raising a loan, and requests me to direct all American officials and merchants in China to take note of the requirements of Your Highness' Government and to act accordingly. A copy of Your Highness' note under acknowledgement has been sent to the American Consular officers in China with instructions that they shall communicate its contents and warning to those concerned.

I avail myself of this occasion to renew to Your Highness the assurance of my highest consideration.

W.W. Rockhill

American Minister.

To His Highness
Prince of Ch'ing,
President of the
Board of Foreign Affairs.

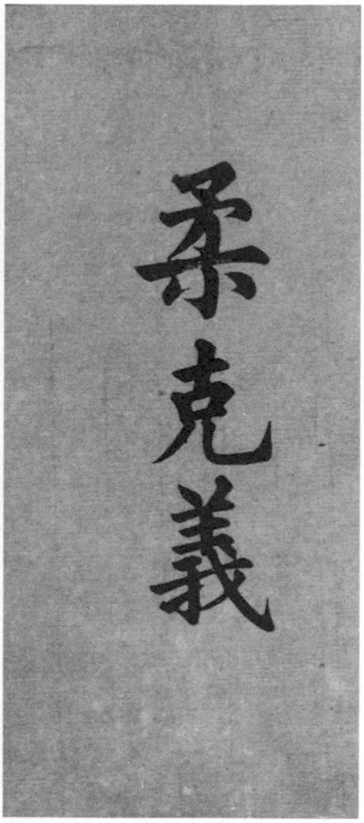

圖為清大校友捐贈給清華文物館籌備處的葉公超之墨竹以及我捐贈的美國駐清公使柔克義信函連封乙通。柔克義是力主美國將庚子賠款用於清國教育事業的關鍵人物。

中共改革開放後，原被消聲的民國學術馬上曲曲折折地以各種方式冒出頭來，隨著中國整體國力的急遽上升，民國學術的意義也跟著水漲船高，民國學術名人的文物拍賣價格就是個既庸俗而又務實的指標。清華大學校友此次捐出董作賓、羅家倫、葉公超諸位老清華學者的書法手稿，最大的意義應當是對民國學術的再確認，也是對清華在新舊學術轉型期扮演的連接器的進一步肯定。從台灣的立場來看，民國學術不是過去式，而是依舊在轉化、在昇華的過程中，因為台灣人文學術的大本大宗即是民國學術的繼承者。歷史的未來不好預測，但我相信對民國學術的繼承與深化不會只是台灣學者的立場，它應該會而且很快就會是全體華人學界的共識。學術自有邏輯，理性長遠看來也自有推動歷史進步的力量，政治說到頭來還是要為代表理性力量的學術服務的。

留待後人補[1]

此檔展覽共分六個子題：（一）中國儒者墨跡，（二）日本儒者翰墨，（三）日華交流書畫，（四）台灣書畫，（五）巡撫、總督及官僚墨跡，（六）民國檔案。題目太廣，線路四射，關係有些收拾不住。但細看海報標題：台灣在東亞——文化的動脈與思想的脈動，讀者大致上可以看出本檔展覽的特色，它是立足在台灣，以東亞為範疇，以文化史、思想史為脈絡的收藏展。

展品五花八門，雖說有個脈絡，但視角還是容易分散。本檔展覽所以如此羅列，乃因此次展覽不是依一般的藝術主題，而是為了一個更宏觀的構想而設。本檔的

1 此文為清華大學「臺灣在東亞：清華博物館催生預展」（2008年10月28日—11月7日）展覽摺頁前言。

副標題是：清華博物館催生預展。「催生」有二義，一者表示被催生者還沒有生；二者也表示被催生者需要生。校園博物館是學校大事，應當獲得全校師生的同意，成立與否，理當共決。所以真正的催生者是本校的師生，這些展品只是引子，可視為適時而至的「增上緣」。校園博物館藏品當與學校的發展相呼應，所以展品不能太單一，太單一顯然無助於教學需要；但也不宜太複雜，太複雜容易失掉特色，反而遮蓋住藏品的脈絡。本檔展品的光譜展現較複雜，原因在此。

本檔展覽名稱為「台灣在東亞——文化的動脈與思想的脈動」，放在東亞論述逐漸走紅的今日看來，頗有政治正確的意味。但筆者二十年前開始涉足收藏事業時，著眼點就是東亞儒學的視角。東亞儒學針對一國

清大師生曾於2008年底，假藝術中心辦了一場「台灣在東亞：清華博物館催生預展」。期待有心人群策群力，捐款捐文物。六年後，國立清華大學首任校長羅家倫的家屬將羅故校長生前珍藏的明版書271部以及相關文物捐贈給國立政治大學。

儒學而發，它的本質就是文化脈絡主義。我設想中的東亞儒學既是事實的概念，也是規範的概念。儒學從來不只是中國的，它最起碼是東亞文化極鮮明的特色。如果有共同的東亞文化的話，其核心因素不管減到什麼程度，儒學總會是最後殘留在名單上的因子。從一國民族主義的角度看待儒學，既害了儒學，也害了台灣。台灣位處在東亞海陸的要衝，是大陸的東沿，也是海洋的西沿；是中土政權的邊陲，又是「華夷」交流的前鋒。台灣有豐富的文化積澱，也具備了充分轉化重層文化的機制，其文化理當和而不同。我生於斯，長於斯，我的關懷自然而然的烙印了風土性，一種立足於台灣的儒學關懷就此展開。

台灣的地理位置與歷史變遷決定了台灣的性格，對我而言，一種沒有儒家—漢文化因素的台灣文化論述是很怪異的；但一種懷舊、封閉、血緣的儒家民族主義之台灣文化論述，同樣是令人難以忍受。文化的認同總是深情的，很難完全以道理諍，也很難完全以事實辯。在當代社會，宗教或文化認同已變成「一種真理，各自表述」，個人的終極關懷似乎不必變為公眾的議題。但因為我的收藏和我的理念有關，我還是不得不坦白：我相信一種開放的儒家價值體系有大美存焉，也相信台灣在歷史的運會中有很好的機會，而儒家文化會是很正面的因素。我信故我在，「我相信」就是我這渺渺之身所能領會到的惟一天命，我別無選擇，只能接受此來自身心底層的聲音之呼喚：儒家加台灣，我應當為兩者有機的融會略盡棉薄之力。

我盼望學校有一座很好的博物館，還希望有完整的配套機制，也很希望博物館的藏品的質量可以更高。在不同的場合裡，我都表示過願意竭盡己力，提供助緣，促使實現。但很遺憾的，短期內，恐怕都做不到，所以只能寄望於學校。《史記》記載淳于髡說的故事：一位農夫祭拜土地公，只帶一隻豬蹄及一杯酒的薄禮，卻要求能夠得到滿車、滿畦、滿家的收成，此祝詞遂傳為天下笑柄。我的能力有限，寅吃卯糧，挖東牆補西牆，以太平盛世公務員的身分竟過著落魄資本家跑三點半的生涯。但收藏的成果就這麼多，遠不副期望，對學校卻又有那麼高的要求，也遠不符合「比例原則」。就個人層次而言，我無德無能，好高騖遠，誠屬可議。但就公領域觀點而言，以清大在台灣及華人社會的地位，如果人民期盼本校能有一座具足美感意義的公共建築物以及稍具特色的文物典藏，這樣的盼望不是很合理嗎？

我認為不僅合理，而且必要。清大在台設立已逾五十年，五十年來的清大與五十年來的台灣之歷史步伐是同步的，命運也是交融的。在可見的將來，這種共同體的命運是不會改變的，也不應該改變。然而，五十年來的清大雖已走過一段艱辛的歷史，也與台灣人民共同創造了一段歷史，卻沒有善待歷史記憶。沒有善待歷史記憶，對吾土吾民也就不會有堅強的承諾。我們的校園文化太追隨當令的學術議題跑，在清大造成沸騰議題的總是「國際化」意識而不是歷史意識。我們的校園建築實用性永遠大於文化性，現存的建築物沒有幾棟是可以作為歷史見證的，可作歷史見證的建物早就化為清華人的夢中記憶了。清大既然要在此島嶼生根，不管它的誕生之歷史背景為何，它現在已是立足於台灣的一座重要的華人學術重鎮。學術重鎮總要有些最起碼的配備，它總要有些人文精神的氛圍，也要有些與之相稱的「物」之典藏：手稿、檔案、書畫、建物，國外的一流大學（甚至談不上一流的大學）不是都具備了這樣的條件嗎？

此檔展覽與其說是展覽，不如說是呼喚。它呼喚一座可容身、可長可久而且可遊心賞目的公共建築，它也呼喚能招攏幾件令人難忘的名品。它引頸企盼，希望道成肉身為清大的真實內涵。名館加上名品，它們也許可聯手打造清華的公共形象。故宮博物院一位剛退位的前輩學者曾勸我：一時之間，完整的博物館不見得可以如期完成，所以最好懸為目標，以待他日。這位值得尊教的長者的話有道理，我也可以接受。因為我相信：只要清大在台灣存在的情況沒有改變，只要儒家—漢文化可視為台灣文化內部的核心要素沒有改變，只要我們對理想的校園文化仍有盼望，這些展品的呼喚早晚是會得到呼應的，我們可以合理的期盼、等待、準備。

清華門的番茉莉[1]

歷史人物之所以成為歷史性的，往往很偶然。如果他沒有成為象徵，他不可能是歷史性的。而他之所以能成為象徵，一定是在某一個意義下，他牽動了群眾的心靈，撥轉了他們意識共同的韻律。群眾在歷史人物身上看到了民族或人類普遍的命運：受苦、委屈、不義、死亡。當然，正面性質的東西也有可能成為象徵，但是苦難是靈魂更深層的質素，它更容易喚醒群眾，認清歷史與自己的本來面目。

我於孫立人，即作如是觀。

孫立人在中國近代史上的地位已經確立，他在滇緬戰場的軍功與在五〇年代初期

1 此文為2003年清華大學藝術中心舉辦之「孫立人將軍特展」摺頁前言。

台灣的建軍運動、甚至意義小很多的淞滬戰場上的負傷，以及戰後東北戰場上的是非恩怨，這些無不一一化成了一齣齣的傳奇。透過了媒體的大肆報導與群眾的刻意補償心理，這齣傳奇的規模可能已經擴大了許多，孫立人的形象也放大了不少，其中有幾分是真實的摹本？有幾分是種種情緒或欲望的投影？恐怕也很難分清楚了。歷史人物當然是和歷史事件結合在一起的，淞滬戰役是歷史事件，國府撤退來台初期的各種軍事活動也是歷史事件，這些歷史事件埋葬了無數的百姓與士兵的身家性命，但也造就了不少令人讚嘆、悲嘆或悲欣交集的歷史人物。孫立人是這些歷史人物中重要的一位，但是單憑他以往的動業，他是不是能在未來的國史中單獨立傳，恐怕還在未定之天。然而，孫立人畢竟超越了同代絕大多數的政客與軍人，他沒有被層層波湧而至的新的歷史事件淹沒，因為他由歷史走進了象徵。而這象徵的取得是由各種因素匯聚而成的：冷戰體制下的全面檢肅政策，政治人物的嗜血本性，孫立人對上的桀驁不馴與對下的慈煦嘔嘔所混合而成的獨特性格，還有台灣處在大變遷時期需要的「典範」人物，諸緣湊合，於是孫立人成了一個時代苦難的代表，他的受苦被視為全體台人共同的苦難，他的平反被視為全體台人枷鎖的解消。隱約之間，台人在孫立人身上看到岳飛的影子。

孫立人的巨大影響和他在國府來台初期所占的地位分不開，事件發生前，他取精用弘，影響力伸到台島的每一角落；事件發生後，後座力的作用自然也無所不在。猶記得在嘉義蘭潭服兵役時，營區的士官長談起他們從舟山島被拉伕來台，背井離鄉，前途茫茫。好不容易參加軍官訓練班，原本期望可以由兵而官，脫胎換骨。無奈當時的訓練長官是孫立人，所以孫案一發生，他們以往的成績遂被一筆勾銷，以後的升遷也一律冰凍，只能以士官長終老一生。在孫立人名下受訓的官兵何其多，類似此士官長遭遇者絕非孤例，山嵎海涯，多的是孫字記號下的無奈生靈。這一大群中下階層人民的悲歡離合，織成了冷戰時期台灣社會的意義網路。

環繞著孫立人，不曉得有多少蒼涼的故事，故事的真假、是非不一定可以完全穿透，偉大的人物總也有不偉大的一面，我相信從蔣經國、陳誠、杜聿明眼中，他們可能看到另一個不同的孫立人。爭議不斷，解釋性強，這也是歷史人物的一項特性。有好幾種不同的孫立人，正因為台灣社會有各種不同歷史經驗的人匯集在一起。每一種經驗都是獨特的，沒有任何一種是可以缺少的。每一種經驗放射出來的意義光源，都可以使得島上的芸芸眾生更能體會歷史的詭譎、生命的奧妙與互相體諒的必要。

孫立人與清華關係特深，他畢業於老清華，兒女亦多就讀清華，水木之園的回憶可能是他幽居歲月中最大的慰藉。平反後，他贈書給清華，捐獎學金給清華，比起清大校方當局的彬彬有禮，孫將軍可謂一往情深矣！上星期行經圖書館中庭的清華門，看見孫立人贈送的五彩茉莉在十月小陽春中，竟幽幽的開著紫白交雜的小花。百歲將軍送寒花，這到底傳達了什麼樣的意義呢？陸亙大夫拜會南泉和尚話次，禪師指庭院的牡丹

孫立人被軟禁三十三年，以蒔花養蘭自愉。1988年以八十七高齡平反後，送國立清華大學手植番茉莉一叢，校方植於學校中庭「清華門」前。今日門前的番茉莉已不見，改為豔麗的仙丹花。將軍一去，茉莉飄零，奈何！（此照片蔡錦香提供）

道：「大夫，時人見此一株花，如夢相似！」茉莉不是牡丹，將軍不是禪客，但兩者竟彷彿有些類似。看著瘦弱的番茉莉花葉在微風中，顫顫著仰望中庭另一頭的玻璃門反映出的天光，我心中不免狐疑：此花究竟要傾訴什麼樣的訊息？

聯經評論
1949禮讚

2015年9月初版　　定價：新臺幣320元

著　者　楊　儒　賓
發行人　林　載　爵

出版者　聯經出版事業股份有限公司
地址　台北市基隆路一段180號4樓
編輯部地址　台北市基隆路一段180號4樓
叢書主編電話　(02)87876242轉212
台北聯經書房　台北市新生南路三段94號
電話　(02)23620308
台中分公司　台中市北區崇德路一段198號
暨門市電話　(04)22312023
台中電子信箱　e-mail：linking2@ms42.hinet.net
郵政劃撥帳戶第0100559-3號
郵撥電話　(02)23620308
印刷者　世和印製企業有限公司
總經銷　聯合發行股份有限公司
發行所　新北市新店區寶橋路235巷6弄6號2樓
電話　(02)29178022

叢書主編　沙　淑　芬
校　對　吳　美　滿
封面設計　沈　佳　德

行政院新聞局出版事業登記證局版臺業字第0130號

本書如有缺頁，破損，倒裝請寄回台北聯經書房更換。　ISBN 978-957-08-4608-9 (平裝)
聯經網址： www.linkingbooks.com.tw
電子信箱：linking@udngroup.com

國家圖書館出版品預行編目資料

1949禮讚/楊儒賓著．初版．臺北市．聯經．
2015年9月（民104年）．304面．14.8×21公分
（聯經評論）
ISBN 978-957-08-4608-9（平裝）

1.言論集

078　　104016520